目次

中国は台湾を攻撃できない　台湾有事はない

沖縄有事はない　日本有事はない

世界　民主主義の戦い　１８

新型コロナ問題

二大政党問題

沖縄　沖縄　沖縄

中国は台湾を攻撃できない
台湾有事はない
沖縄有事はない
日本有事はない

12月23日

沖縄をミサイル攻撃するということは米国と戦争すること　それでも中国はミサイル攻撃をするのか

共産党の志位委員長は「辺野古に新基地が建設されると有事になれば辺野古はミサイル攻撃される」と指摘していた。新基地とは米軍基地である。志位委員長が指摘したのは沖縄の米軍基地は有事になるとミサイル攻撃されるということである。カデナ空軍基地、普天間飛行場、那覇軍港など沖縄の米軍基地は有事になるとミサイル攻撃されると志位委員長は言ったのだ。

現在、問題になっているのが石垣、宮古などに長距離ミサイルを設置すれば有事の時に沖縄がミサイル攻撃され戦場になるという理由でミサイル基地建設に反対している。しかし、すでに米軍基地が存在している。有事になればミサイル基地がなくても沖縄はミサイル攻撃されて戦場になるのだ。有事になると沖縄がミサイル攻撃されるという理由ではミサイル基地建設反対の理由にはならない。反対の理由にならないことを指摘したのは共産党の志位委員長であるし、新基地建設反対運動を展開したオール沖縄である。

先島にミサイル基地を建設すれば有事の時に沖縄はミサイル攻撃されるといい、沖縄を戦場にしないためにミサイル基地を建設するべきではないと主張しているデニー知事、辺野古移設反対派、弁護士、学者、ジャーナリスト等々。彼らに共通することがある。どのような理由で有事になるかを一切いわないことである。

有事になるとミサイル攻撃されるのなら有事にならないように努力するべきである。そのためには有事になってしまう原因を知らなければならない。それなのに「有事になると・・・」とはいうのに、どのような事態が有事になるかを説明しない。

ミサイル基地建設が有事の原因にならないのは確実である。それどころか米軍基地とミサイル基地は有事にさせない効果がある。もし、中国と有事になれば沖縄から米軍の戦闘機が飛び立ち、先島からはミサイルが中国を攻撃する。中国は多大な被害を受ける。中国は米軍、日本との戦争は避けるだろう。ミサイル基地は中国と有事にさせない働きがあることを認識するべきである。

ミサイル基地建設が沖縄有事の原因になることはない。むしろ有事になるのを押さえる。沖縄有事を理由にミサイル基地建設反対することはできない。

12月24日

台湾有事→沖縄有事→米中戦争→核戦争・・・だから台湾有事は起こらない

台湾有事が沖縄有事になるという考えがある。台湾有事は米中戦争になる。だから、米軍基地のある沖縄も有事になる。そのように専門家は考えている。米中戦争は核戦争になる。専門家も核戦争になると予想している。米中核戦争・・・あり得ないことである。

沖縄へのミサイル基地建設に反対するのは中国と日本が有事になると沖縄がミサイル攻撃され、戦場になるという理由である。戦場にならないためにミサイル基地建設に反対している。でも中国と日本が有事になる原因は説明していない。

沖縄が有事になる原因に中国の台湾侵攻が上げられている。中国が台湾侵攻したら台湾を支援する日本は先島からミサイルで台湾を支援するだろう。だから中国軍は沖縄をミサイル攻撃する。その考えから中国の攻撃を防ぐためにミサイル基地建設に反対している。

沖縄には米軍基地がある。台湾有事になれば米国は台湾を支援する。沖縄の米軍基地から中国軍を攻撃するだろう。米軍の攻撃を止めるために中国軍は沖縄を攻撃する。だから、ミサイル基地を建設しなくても台湾有事は沖縄有事になる。台湾有事をミサイル建設反対の理由にすることはできない。

台湾有事は本当に起こるのだろうか。2023年に台湾侵攻が行われる可能性が高いと予想している専門家がいる。台湾有事になり中国軍が沖縄を攻撃すれば米軍との戦争に発展する。台湾有事は米中戦争に発展するのだ。そのように予想している専門家もいる。

核戦争にならなくても習主席は米国との戦争を避ける。米中戦争になれば一気に中国経済は停滞する。外国資本が中国から出ていくからだ。中国が経済世界二位になったのは外国資本が中国進出したからだ。外国資本が出て行けば中国経済は最悪になる。

中国と台湾の間には海峡がある。ロシアとウクライナのように陸続きではない。ミサイル攻撃は海を隔てていてもできるが軍隊は船で移動させせなければならない。台湾海峡は最も狭い箇所でも約130キロメートルある。

中国軍は130キロ以上の海峡を移動しなければ台湾に上陸することはできない。海峡には米艦隊だけでなくオーストラリア、英国、NATOなどの軍艦が中国軍艦の侵攻を邪魔するだろう。中国が台湾を軍事力で制圧するのは非常に困難である。海峡が中国の台湾進攻を食い止めている。

習主席が台湾進攻できないのは経済、政治問題もある。実際は、習主席が中国を完全に支配している状態ではない。中国政界には反習主席派も存在する。習主席は官僚出身であり習政権は官僚中心の政治体制である。習政権前は人民海軍が政権を握っていた。人民解放軍が勧めていたのが市場経済であった。人民解放軍の市場経済政策で中国が経済世界二位になった。習政権になると市場経済を管理経済にした。習主席の北京派と対抗しているのが人民解放軍の上海派である。

もし、習主席が台湾進攻に失敗すれば政権を失う可能性が高い。だから台湾有事は起こらない可能性が高い。

岸田内閣が「国家安全保障戦略」など安保３文書の閣議決定した時期に中国軍が南西諸島への攻撃を想定した訓練を実施しているのは日本への警告であって戦争の準備ではない。

中国は台湾進攻をしない。しないというよりできない。台湾に侵攻してはいけないことをウクライナ戦争は教えている。

１２月２５日

立憲デモクラシーの会学者たちの安保関連３文書への嘘による批判を暴く

政治学者や憲法学者でつくる「立憲デモクラシーの会」が２３日、国会内で記者会見し、「（安保法案の３文書による）防衛政策の転換は東アジアにおける緊張を高め、軍拡競争を招く」と批判する声明を発表した。緊張を高めるというがすでに東アジアでは中国と周辺国は緊張している状態が続いている。。

日本と中国も緊張している。日本の領海である尖閣の海に中国公船が侵入している。中国が仕掛けた緊張である。立デモ会は中国の仕掛けた緊張は黙って受け入れろというのか。

中国は領有権をめぐって周辺各国とにらみ合っている。中国は南シナ海の南沙諸島で領土拡大を目的に埋め立て造成をどんどん進めている。２０１５年には１３００ヘクタールを造成し、軍事基地も建設した。現在も造成して領土を拡大している。

今年は新たな行政区を設置すると発表した。中国の領土拡大に領有権を中国と争うベトナムは「行政区設置はベトナムの主権に対する侵害で強く反対する。間違った決定を取り消すべきだ」とコメントし、中国の行為を非難した。

ベトナムは積極的に南沙諸島の領土拡大をやっている。２０２２年後半に南沙諸島の造成は１７０ヘクタールである。

中国海警局の艦船がベトナム漁船に体当たりして沈没させた。中国とベトナムの緊張は高まっている。

フィリピン国防省は、係争水域での「中国の活動」に懸念を示し、南シナ海でのプレゼンス強化を軍に命じた。

中国とインドも領土問題で対立している。インドのラジナート・シン国防相は１３日、議会で議員らに経緯を説明。中国軍が係争地帯で「インドの領土に侵入」し、「一方的に現状を変更しようとした」ことから、衝突が起こったと述べた。死者はでなかったが、２０２０年６月の衝突では、インド兵２０人と中国兵が少なくとも４人死亡した。

中国は周辺国ベトナム、フィリピン、インドと緊張状態である。日本とも尖閣で緊張状態である。アジアの緊張を生み出しているのが中国である。

立憲デモクラシーの会は中国がつくり出したアジアの緊張を理解していない。だから防衛政策の転換は東アジアにおける緊張を高め、軍拡競争を招く」と見当はずれの批判をするのだ。軍拡をどんどん進めているのが中国である。中国がアジアの軍拡競争を高めている。日本の３法案がアジアの軍拡競争に影響するのは中国に比べれば微々たるものである。

12月26日

「戦闘になれば沖縄が標的に」・・・沖縄県民に嘘の恐怖を与える「ミサイル配備から命を守るうるま市民の会」総決起集会

総決起集会では共同代表の照屋寛之氏が「戦争準備の安保3文書もでき、戦争に向かっている。台湾有事に巻き込もうとする政治や日本政府の奴隷になるわけにはいかない。地域の人にも思いを伝えながら、互いが結集して戦っていこう」と呼びかけた。

照屋 寛之は政治学者である。専攻は行政学、政治学。沖縄国際大学名誉教授。去年うるま市長選に立候補したが落選した。政治家、弁護士の照屋寛徳は親戚。

多くの情報を集め、分析し正しい判断をするのが学者であると市民は信じている。だから、学者である照屋氏が安保3文書で戦争に向かい沖縄は台湾有事に巻き込まれると言えば多くの市民は信じるだろう。

日本は議会制民主主義国家である。沖縄が日本政府の奴隷になることは絶対にない。そもそも日本国家は国民の選挙によって成り立っている。自民党政府が戦争に向かうのであれば国民が自民党政府を否定し別の政党の政府になる。議会制民主主義国家の日本では沖縄を奴隷にしたり戦争に突き進む政府は絶対に表れない。照屋氏はそんなことさえ知らない学者である。

照屋氏は市民の学者への信頼を利用して市民にあらぬ恐怖を植え付けている。沖縄には照屋氏のような学者が多い。学者だけではない。マスメディアも同じである。

元琉球新報記者の新垣邦雄氏は安保3文書によって「戦闘になれば沖縄が標的となる。勝連分屯地には地対艦部隊の連隊本部が置かれ、嘉手納基地やホワイトビーチなど重要軍事施設がある中部地域は危険になる」と総決起大会の講演で指摘した。

マスメディアは国内国外の情報を一番多く集める。中国、台湾、米国の情報の分析の結果、日本と中国が戦争になると新垣氏が言えば多くの市民は信じるだろう。

照屋氏、新垣氏の狙いは自民党政府が戦争に向かっていて、自民党政府は沖縄を戦争の犠牲にしようとしていることを県民に信じさせることである。辺野古埋め立てと同じように年月が経っていけばミサイル基地は建設されて、戦争は起こらない。彼らの嘘が次第に明らかになっていくだけである。

１２月３０日

台湾有事は起こらない　それを教えているのがウクライナ戦争

台湾有事になった時の日本の対応のやり方で右翼系と左翼系が対立している。

左系は沖縄に中国本国まで届く長距離ミサイルの基地を南西諸島に建設すれば台湾有事になった時に中国は沖縄をミサイル攻撃する。台湾有事は沖縄有事になる。沖縄が有事にならないためにミサイル基地建設に反対している。右系は建設に賛成している。故安倍元首相は「台湾有事は日本有事」であると述べていた。日本防衛のために軍事増強は必要であると考えていた。右系は南西諸島のミサイル基地建設によって中国の台湾進攻を防ぐ考えであり、ミサイル建設に賛成である。

右系左系に共通することがある。台湾有事は起こると考えていることだ。起こらないとは考えていない。しかし、ウクライナ戦争をみれば中国が台湾進攻をするとは考えられない。もし、台湾進攻をするなら中国は５０カ国の民主主義国家の軍事支援の台湾と戦わなければならない。

ロシアのウクライナ侵攻は２４日で１０カ月である。ウクライナは、戦車・装甲車約２千両を含む武器支援を約５０カ国から得ている。９～１１月には東部や南部の占領地を広く奪還した。２１日には米国から１８億５千万ドル（約２４５０億円）規模の新規軍事支援を取り付け、反転攻勢を一層進める構えだ。

台湾はウクライナと同じ民主主義国家である。民主主義台湾が独裁中国に侵攻されれば民主主義国家は黙っていない。軍事、経済支援をする。そのことを明らかにしたのがウクライナ戦争である。

米国、ＮＡＴＯは中国が台湾進攻すれば台湾を支援することを宣言している。中国は米国、ＮＡＴＯ、日本、イギリス、オーストラリアなどとも戦わなければならない。そして、５０カ国の民主主義国家の支援とも戦わなければならない。こんなハンディがある戦争を中国がやるはずがない。

中国の世界戦略は一帯一路である。一帯一路は軍事ではなく経済中心の戦略である。台湾に軍事侵攻をすれば一帯一路で進出している国々の中で中国を用心したり嫌ったりする国が出てくるだろう。台湾進攻は一帯一路戦略に悪影響を及ぼす。台湾進攻はうまくいかないのは確実である。侵攻すれば習政権が崩壊する可能性がある。そんな危険なことを習政権はやるはずがない。

中国軍はミサイル５発を日本の排他的経済水域の中に落としたり、台湾周辺で空軍・海軍の合同軍事演習したが、それは戦争に発展しない脅し目的の演習である。

１２月２７日

台湾を見捨てる沖縄に内なる民主主義はない

沖縄にミサイル基地を建設すれば台湾有事になった時に沖縄が中国に攻撃されると考えているから、沖縄が戦場にならないために、ミサイル基地建設に反対しているのが沖縄である。ということは沖縄が攻撃されなければ台湾有事は起こってもいいと沖縄は思っている。沖縄さえ平和であれば台湾が中国に侵攻されて、中国に支配されてもいいのだ。

台湾は民主主義国である。中国は共産党一党独裁国である。独裁国中国が民主主義国台湾を支配するための戦争が台湾有事である。沖縄は台湾有事には反対していない。台湾有事が沖縄に戦争をもたらすことに反対している。台湾有事の時に沖縄を戦争に巻き込む恐れがあるミサイル基地建設に反対している。

台湾の民主主義を守ることに関心がないことは沖縄に内なる民主主義がないからである。内なる民主主義があれば台湾の民主主義を守ることに強い関心を持ち、中国の台湾進攻に反対するはずである。内なる民主主義があれば台湾が中国に侵攻されないように日本は努力べきであると主張するだろう。残念ながら沖縄は主張しない。台湾有事が沖縄を戦場にしないことを望み、ミサイル建設に反対するだけである。

中央の自民党議員は沖縄と違う。次々と台湾を訪問して台湾との関係を深める努力をしている。

内閣官房副長官や経済産業大臣など政府の要職を務めた経験を持つ世耕議員は。平素より台日関係の深化に力を尽くしている。世耕議員は、自民党の「安倍派」に属する国会議員を率いて台湾を訪問し、具体的行動をもって台湾支持の姿勢を示し、台湾と日本の友好関係が長い歴史を経てなお盤石であることをアピールしている。

台湾外交部は、

「台湾は自由、民主主義を守るという一貫した信念を掲げ、日本など近い理念を含む国々とこれからも連携し、普遍的な価値観を守っていきたいと考えている。今回の世耕議員の訪台は、台日間の実質的な友好と協力関係を深化させるものと強く信じている」

と世耕議員に述べた。

民主主義国である日本と台湾は連携し共闘する努力を積み重ねていくべきであり、自民党議員は積極的に台湾と交流している。

与党であり、日本の政治を担っている自民党は民主主義政党である。だから、民主主義国台湾と友好と協力を深める努力をしている。しかし、沖縄は違う。沖縄が戦争に巻き込まれることだけを嫌っている。沖縄戦で多くの民間人が犠牲になった。二度と沖縄で悲劇を起こさせないというのが沖縄である。沖縄は反戦平和主義でる。沖縄にミサイル基地を建設すれば台湾有事の時に沖縄が攻撃される。だから、ミサイル基地建設に反対している。反戦平和主義沖縄にとって民主主義はどうでもいい。民主主義国台湾が独裁国中国に侵攻され支配されても沖縄が平和であればいいのだ。

沖縄は５０年前に日本復帰して、日本の政治体制に組み込まれた。日本の憲法、法律が適用され沖縄は民主主義国家の地方自治体になった。沖縄が民主主義の戦いをして勝ち取ったのではなく外＝日本から与えられた民主主義である。だから沖縄には内なる民主主義がない。沖縄の内にあるのは反戦平和である。それも沖縄だけの反戦平和である。

沖縄に内なる民主主義はあるか　１５００円(税抜)

捻じ曲げられた辺野古の真実　１５３０円(税抜き)

少女慰安婦像は韓国の恥である　１３００円(税抜)

マリーの館　１３８０円(税抜き)

バーデスの五日間
上１３００円　税抜き
（下１２００円　税抜き

1月8日

NATOは台湾支援・中国経済制裁を宣言　中国は台湾侵攻できない

訪台した北大西洋条約機構（NATO）の前事務総長、デンマークのラスムセン元首相は、台北市で記者会見し、中国が台湾に武力行使をした場合、
「NATOは台湾が必要とする軍事援助を行い、台湾が自衛できる能力を得られるよう対応する」
と述べた。

ラスムセン氏は、台湾海峡で衝突が起きた場合には「NATOは（直接の）当事者ではないが、具体的な対応を取る」と強調し、ロシアに侵攻されたウクライナに対して実施した軍事演習や軍事訓練は「非常に重要な手段だ」と述べた。また「台湾と欧州の軍人は既に協力している」と指摘し、欧州での合同軍事演習実施に期待を示した。

中国が武力行使した際には「中国に重大で全面的な経済制裁を実施する」と強調。世界の経済に全面的に組み込まれている中国に「対価が重いことを知らしめ、中国指導部に（自らの行動を）熟考させる必要がある」と述べた。

中国が台湾に侵攻すれば、米国、NATOは台湾への軍事支援と中国への経済制裁をする。ウクライナ戦争と同じことが台湾で再現される。台湾進攻を中国がやるはずがない。

台湾は長年にわたり中国の軍事的脅威にさらされてきたため、早くから空爆への備えを進めてきた。1970年代から建築基準関連の法整備を進め、学校などの公共施設や商業施設、地上6階以上のマンションやビルなどにはシェルターの設置を義務化した。

日本人観光客に人気の五つ星ホテル「円山大飯店」（台北市）の地下にも73年に大規模なシェルターが建設されている。

現在。台湾のシェルターは10万カ所にある。人口の3.倍超収容できる台湾のシェルターである。ミサイル攻撃に万全な台湾である。

台湾、NATOの対策を見れば中国が台湾侵攻することはない。侵攻すれば習政権崩壊の危険がある。習政権は台湾侵攻はできない。

1月3日

クワッドの存在で中国が沖縄攻撃できないことを知るべきである

沖縄タイムスは、沖縄県内41市町村長を対象にアンケートを実施した。

○台湾有事の危険性が高まっていると思う約95%の37人

○衝突回避に向けた日本政府の外交努力は十分ではない約80%の30人。

○安保関連3.文書の決定や、防衛費増額に伴う増税への政府の説明は十分ではない。9割を超える39人

タイムスの記事

台湾海峡を巡り、軍備拡大を続ける中国と米国との武力衝突への懸念が県内市町村長の中で高まっていることが明らかになった。一方、政治的な立場を超えて政府の外交努力に課題があるとの認識も示された。

■「避難民の受け入れ態勢協議を」

台湾に近接し、ミサイル部隊の配備方針が示された与那国町の糸数健一町長は「危険性は高まっている」としつつ、「防衛力強化はさることながら、もっと外交力強化を図るべきだ」と訴えた。

中山義隆石垣市長は国と県に「台湾有事を想定した住民避難や台湾からの避難民の受け入れ態勢などを協議する場を早急に設けてほしい」と要望。渡久地政志北谷町長は「外務省の外交努力で（平和を）維持できており、引き続き平和的な外交努力を望む」とした。

沖縄タイムス

中国が日本を攻撃させない手はすでに打っている。それは中国が日本を攻撃すれば米国、オーストラリア、印度、イギリスが日本の側になり中国と戦う態勢である。

日米豪印の4ヵ国は自由で開かれたインド太平洋の実現に向け、ワクチン、インフラ、気候変動、重要・新興技術などの幅広い分野にて協力体制を構築している。協力体制をクワッドという。4カ国はクワッドの安全を維持するために軍事訓練をしている。

軍事訓練は「マラバール」と呼ばれている。この訓練は、アメリカ海軍とインド海軍が30年前から行っていて、海上自衛隊は2007年から、オーストラリアはおととしから参加している。ことしは日本周辺の太平洋で8日から今月15日までの日程で行われ、横須賀市では

４か国の司令官らが出席して開始式が開かれた。

海上自衛隊自衛艦隊の湯浅秀樹司令官は「私たちは、国際社会のルールを重視するとともに、力を背景とした一方的な現状変更の試みには一致団結して反対するどうしだ。世界情勢が大きく変動するなか、４か国の緊密な連携と結束を世界に示すことは、極めて大きな意義がある」と述べた。

アメリカ海軍第７艦隊のカール・トーマス司令官が「マラバールはルールを書き換えようとする国々に対して、私たちが黙って見ているわけではないことを示すものだ」と述べるなど、各国の司令官も連携を強化していく考えを示した。

今回の訓練ではアメリカ軍の原子力空母など合わせて１４隻の艦艇が参加して潜水艦に対処する手順などを確認した。


日本に中国が攻撃すればクワッドに参加している米国、豪州、インドが日本を支援するのは確実である。中国は４カ国と闘わなくてはならない。

クワッドを最初に提唱したのは故安倍首相である。１６年前である。首相になるとクワットを実現させた。

ウクライナ戦争で見られたように民主主義国家は連帯する。ウクライナは戦争が起きてから連帯してウクライナ支援をした。アジアでは日米印豪に英が連帯してすでに中国と対峙している。

ＮＡＴＯも中国が武力行使した時は軍事援助を行い、台湾が自衛できる能力を得られるよう対応する」そして、「重大で全面的な経済制裁を実施する」と宣言した。

日米豪印の協力の歩み	
2006年	安倍晋三首相が対話の枠組みを提唱
17年11月	フィリピンで局長級会合
19年9月	米ニューヨークで初の外相会談
20年10月	東京で外相会談。定例化を確認
11月	自衛隊と米印軍の合同演習に豪軍が参加

台湾有事が沖縄有事になると信じているのはクワッドを知らないからである。日米は中国対策はすでにやっている。中国が日本をミサイル攻撃することはない。それに民主主義国家の日本や米国が先に中国を攻撃することもない。日米ＶＳ中国戦争は起きない。

1月8日

日米英豪4か国合同の訓練　中国は日本有事にできない

陸上自衛隊唯一の落下傘部隊である第1空挺団は2023年1月8日（日）、千葉県にある習志野演習場で「令和5年降下訓練始め」を実施した。

今回の降下訓練始めには自衛隊から隊員約1000名、車両約20両、航空機約20機が参加。空挺団長の若松純也陸将補などによる空挺降下ののち、演習場の一角を島に見立て、敵に占拠された離島を奪回するというシナリオで訓練展示が行われた。

今年は3年ぶりに一般公開での開催となったほか、アメリカ軍やイギリス軍、オーストラリア軍などからも計100名が参加し、多国籍訓練として実施されたのが特徴である。

具体的には、横田基地に所在するアメリカ空軍第374空輸航空団所属のC-130J輸送機から空挺団員がパラシュート降下したり、アメリカ海軍第5空母航空団所属のMH-60多用途ヘリコプターでヘリボーンしたりしたほか、実際にアメリカ陸軍第82空挺師団やイギリス陸軍第16空中強襲旅団の兵士らが上空からパラシュート降下し、陸上自衛隊員とともに活動するといったシーンも披露された。

自衛隊は三国の海軍の合同訓練を日本近海や太平洋で何度も実施している。自衛隊はインドの海軍とも訓練をやった。

日本の軍事専門のジャーナリストは日本と中国を一対一の対立として見て、日本は劣勢であるとみている。南西諸島にミサイル基地を建設すれば台湾有事になれば沖縄が攻撃され、戦場になると予想している。

日本劣勢を唱えるジャーナリストに共通していることは日本が中国と戦争になれば米、豪、英、印の国々が日本支援することを無視していることである。4カ国が支援する日本を攻撃するような中国ではない。

ウクライナ戦争で分かったことはすでに日本対中国の時代ではないということだ。民主主義国家対中国であることだ。ウクライナ戦争は中国が台湾、日本を攻撃しないことを予想させた戦争である。

日本の軍事専門ジャーナリストはそのことを知らない。彼らは民主主義国家の連帯を理解していない。

1月13日

台湾進攻すれば中国経済が破綻　中国が台湾進攻できない決定的な理由

中国が世界第二位の経済大国になったのは中国企業の発展が原因ではない。中国は1978年代から市場経済を導入し、外国資本を受け入れた。日米欧などの経済発展している国々の企業がどんどん中国に進出した。進出した外国企業によって中国経済は急成長した。外国企業がなければ中国経済は低いままであった。現在でも中国経済を支えているのは外国企業である。外国企業が存在しなければ中国経済はとても悪い状態になる。

中国に進出している日本企業は1万2706社である。外資系企業全体では2011年では44万9700社であった。現在では50万社に達しているのでないか。

中国が台湾に侵攻すれば米国、日本との戦争になる。すると中国に進出している日米企業や欧州の企業は中国から確実に出ていく。ウクライナ戦争がはじまると次々とロシアから日米欧の企業が出ていった。同じことが中国でも起こる。日米欧の企業が中国から出て行けば確実に中国経済は破綻する。

中国経済が世界二位になっても国営企業は赤字で政府の援助がなければ倒産するという状態であった。現在も国有企業は経営状態は悪い。それに市場経済で急成長していった民間企業も習近平首相の国有企業優先・民間企業冷遇の政策によって体力を失っている。中国企業とは違い外国企業は自由であり、しっかり経営している。

1991年にソ連は崩壊した。ソ連崩壊の原因は経済破綻であった。経済が破綻すれば国の予算が失われてしまう。政府は崩壊する。

中国企業は民間企業も競争力、体力を失っている。現在の中国経済を支えているのは外国企業なのだ。中国から外国企業がいなくなれば中国経済は落ち込み、中国政府は経済力を失う。中国政府にとって外国企業はなくてはならない存在である。

習政府が台湾進攻すれば中国から外国企業は出ていく。それはウクライナ戦争でロシアから外国企業が出ていったことから予想できる。外国企業が出て行けば中国経済は確実に低迷する。そのことを中国政府自身が知っている。経済破綻は習政権崩壊につながる。世界二位の経済力を武器にして世界に展開している一帯一路は破綻してしまう。習政権を維持するためには中国の外国企業は絶対に必要である。だから、外国企業を失ってしまう台湾進攻を中国はできない。

世界　民主主義の戦い

ロシア

ロシアは、大統領、国会議員は国民の選挙で選ぶ。議会は国家院と連邦院の二院からなる議院内閣制である。プーチン大統領は国民が選んだ。しかし、プーチン大統領は独裁者である。国民の選挙で選ばれているにも関わらず独裁者なのである。

プーチン大統領は対立する候補を暗殺したり、刑務所に送り、対抗馬を排除していった。プーチン大統領が確実に選出されるようにしたのである。ロシアは議会制民主主義の形態ではあるが実態はプーチン独裁国家である。議会はプーチンの要求する法律を制定するプーチン独裁下請け機関である。

ウクライナ戦争はウクライナの民主主義を守る戦いであるとともにプーチン独裁を倒す戦いでもある。ロシア軍が敗北すればプーチンの権威は失墜する。ロシアの報道規制が崩れて自由になり、ロシア軍がウクライナでやった残虐な行為をロシア国民は知ることになる。プーチン独裁が崩壊するだろう。

タイ

タイは立憲君主制である。１９３２年６月２４日にタイ王国（シャム王国）で勃発した立憲革命は、タイを絶対君主制から立憲君主制へと移行させた。革命は、主に平民出身で構成された文民と軍人の官僚により組織された人民党によって行われた。文民と軍部の対立が激しくなっていき、政権維持に不利になると軍部はクーデターを起こして文民勢力を弾圧した。。

２００６年タイ王国軍の反タクシン首相派の将校が下士官・兵士を率いて、タクシン政権を倒した。タクシン氏を国外追放した。

２０１４年の軍事クーデター。２０１１年の総選挙でタイ貢献党が勝利し、第３１代首相のタクシン・チナワットの妹であるインラック・シナワトラが第３６代首相に就任したが軍部の圧力で失職した。２０１４年に行われた総選挙は反政府派(軍部関係集団)による妨害で一部選挙区では投票が行えず、選挙が無効になった。軍部による政権が続いた。

首都バンコクの知事選が今月２２日に投開票された。当選したのは２０１４年５月の軍事クーデターで政権を追われたインラック内閣の元運輸相チャチャート氏（５５）。２位に入ったスチャチャウィー氏（民主党）以下に

１００万票以上の大差をつけた圧勝だった。
選挙によって民主派が勢力を拡大しているタイである。

ミャンマー

２０２０年の総選挙でスーチー氏の国民民主連盟が圧勝した。民主派の圧勝に危機を抱いた軍部はクーデターを起こし、スーチー氏や幹部を拘束して権力を奪った。軍部が支配するミャンマーである。

軍部政権打倒で立ち上がった挙国一致政府は、各地に散らばる民主派武装勢力「国民防衛隊（ＰＤＦ）」などによる武装闘争「防衛戦」の開始を２０２１年9月7日に宣言。国軍に長年抵抗する少数民族武装勢力も取り込み、武力によって軍政打倒を図ろうとしている。

民主主義の戦いはイラン、アフガンでも始まった

アフガニスタン

駐留２０年がたった２０２１年に米軍はアフガンから撤退した。米国が築いた議会制民主主義はあっけなく崩れた。タリバンとの戦争では簡単に敗北し、大統領は国外逃亡した。

タリバンが政権を握ったアフガンはイスラム教政権になった。そのまま安定したタリバン政権が続くだろうと思っていた。

タリバンが実権を掌握して以来、アフガン女性は公共の場から締め出された。全国の公立と私立の大学で女子教育を停止した。女性公務員はほとんどが失職した。

女性は男性の親族同伴でなければ旅行できず、外出時には全身を覆わなければならなくなった。公園や遊園地、スポーツジム、公衆浴場に入ることも禁じられた。女子教育を行う学校も大半が閉鎖された。

タリバン政府の女性差別に対して女性たちは立ち上がった。アフガニスタンの首都カブールで、国連（ＵＮ）の「女性に対する暴力撤廃の国際デー」を前に、十数人の女性が短時間の抗議デモを行った。参加した女性の多くはサングラスを掛け、頭髪を覆い、医療用マスクで顔を隠していた。うち1人が手にしたプラカードには、「私たちは最後まで権利のために闘い、決して降伏しない」とダリー語で書かれていた。

首都のカブール大学の近くで女性約５０人が「教育は我々の権利だ。大学は開かれるべき」と訴え、抗議デモを行った。東部ジャララバードでも、大学の前で女性と男性の参加者がともにプラカードを掲げ抗議した。

女子に教育をしている団体もある。「地下学校」である。

タリバンによる政権奪取以降、アフガニスタン国内でも市民たちによる抵抗が広がっている。その一つの形が

学校に通えない少女たちがひそかに勉強を教わる「地下学校」である。「地下学校」には二つの種類がある。一つは個人の自宅などでひっそりと少人数を集めて勉強を教えるものである。存在自体が秘密にされている。もう一つが「地下学校」である。「地下学校」は、タリバン政権の教育省から「専門学校」の認可を得ている。表向きは女性が編み物や刺繍、コーランなどを学ぶ学校ということになっている。それは「隠れ蓑」で、女子が学ぶことを禁止されている英語や数学、物理、歴史など中等教育の教科も教えている。

地下学校の修了式の様子

市内の住宅街の一画、1階が商店、2階以上がアパートの小さなビルの地下に、日本の学校のクラス二つ分ほどの広さのホールがあり、風船で飾り付けられたステージが作られていた。ヒジャブと長衣をまとった少女たちが次々に入ってきてホールは満杯になった。その数１００人以上。これほどの数の生徒たちが集まった「地下学校」の映像はメディアでも見たことがない。この「学校」は6カ月が1学期で、きょう行われるのは学期末の修了式だという。

式典で生徒一人ひとりに修了証を手渡すのは４０歳代の女性の校長先生。記念撮影をしたあとは、大きな書物の形をしたケーキにナイフを入れ、校長が生徒たちの口に小さく切ったケーキを放り込んで、厳かななかに笑い声がもれる楽しい会となった。修了生を代表して一人の女子生徒が英語でスピーチを行った。テーマは「女性について」。

「コーランによれば、女性は男性と同じく社会の重要な役割を果たすべきである。また、知識を求めることはすべてのムスリムの義務である。私たちはタリバンに女子の学校を開くよう、女子が科学を勉強することを禁じることをやめるよう要求する」

慣れない英語でたどたどしく、しかし堂々と仲間に語りかける。あどけなさの残る女子であるが自立の精神をしっかりと持っている。自立心旺盛な女性をアフガン社会は生み出している。

校長はこの「地下学校」を去年１０月、たった一人で立ち上げた。学校の教員だった彼女は、女性に差別的なタリバンの施策を見て辞職。「学校に行けなくなったと絶望して泣く少女たちを見て、いてもたってもいられなくなりました。他人事ではありません。私にももう少しで中等教育の年齢になる女の子がいるのです」という。またタリバンが再び権力を奪ったときに国を出た友人もいたが、「みんなが逃げたら、誰がこの国の女性たちのために立ち上がるのでしょう。私は残って闘うことに決めました」と悲壮な決意を語った。

イラン

2022年9月13日、アミニはイランの首都テヘランの駅で、風紀警察に逮捕された。その理由は、ヒジャブの着用方法が不適切だったことと、タイトなズボンを着用していたことであった。アミニはバンに乗せられ、警察署に連行された。連行後、暴行でアミニは意識を失い、カスラ病院に救急車で搬送された。そして16日、死亡が確認された。

アミニの死への抗議活動が勃発した。

北西部のクルディスタン州で追悼式が行われた後、人々は通りに出て、詳細な調査を求めるスローガンを叫び始めた。その後、抗議者たちは知事室の前に集まり、警察は催涙ガスを発射して群衆を解散させた。

警察の厳しい弾圧にも関わらず抗議は拡大していった。抗議はアミニの死への抗議にとどまらず女性の自由への戦いだったのだ。

デモ参加者たちは抗議活動のなかで叫んでいる「女性、命、自由」のスローガンを記した横断幕などを掲げていた。デモは女性差別への抗議になっていた。女性たちが自由を求めて立ち上がったのである。

デモは全国に広がっていった。イラン政府の弾圧は厳しくこれまでに18歳未満の子ども64人を含む少なくとも476人が死亡した。

有名人やスポーツ選手も「女性、生命、自由」運動を支持している。米アカデミー賞の外国語映画賞を受賞したアリドゥスティ氏はスカーフを被っていない自分の写真をソーシャルメディアに投稿し、反政府抗議の参加者が処刑されたことを非難した。彼女は逮捕された。

イランとアフガンで女性の自由を求める戦いが始まった。長く困難な戦いになると思う。しかし、弾圧に負けて消滅することはない。弾圧を跳ね除けて勝利すると思う。

世界　民主主義の戦い　ウクライナ

１９９１年ソ連が崩壊したことでウクライナは独立した。独立したウクライナはロシア派と西欧ＮＡＴＯ派に分かれたが、ロシア派が優勢であり、ロシア派の大統領が政権を握った。

ウクライナは２０１３年に欧州連合との政治・貿易協定の仮調印を済ませていたが、親露派であるヤヌコーヴィチ大統領はロシアからの圧力もあり調印を見送った。これに対しＥＵ寄りの野党勢力から強い反発が起こり、ウクライナ国内は大規模な反政府デモが発生した。ヤヌコーヴィチ大統領から出動を命じられたベルクトは群衆を攻撃するなど騒乱状態に陥った（２０１４年ウクライナ騒乱）。事態収拾のため２０１４年２月２１日には挙国一致内閣の樹立や大統領選挙繰り上げなどの譲歩を示したがデモ隊の動きを止めることはできず、ヤヌコーヴィチ大統領は２２日に首都キエフを脱出した。ウクライナ議会は同日ヤヌコーヴィチの大統領解任を決議し、５月２５日に大統領選挙を行うことを決定した。ヤヌコーヴィチはロシアに亡命した。しかし、新しい大統領になってもウクライナの腐敗政治は改善することがなかった。

２０１９年にゼレンスキー氏が大統領になる。

「チョコレート王であり、ガラス王であり、造船王でもあるポロシェンコ大統領は、私腹を肥やすばかりで国民のための政治をやろうとしない。民衆の声を反映する政治を実現するべきだ」

ゼレンスキーは本気でそう思ったからこそ、大統領選挙に出馬した。

ポロシェンコ政権が存続する限り、ウクライナの問題が何ひとつ解決しないことは明らかだった。平和と経済復興を願う民衆の望みによって、ゼレンスキー大統領は必然的に誕生したのだ。

ゼレンスキーとは、どういう人物なのだろう。

１５年、ゼレンスキーはウクライナのドラマ「国民の僕」に出演して人気を博す。ゼレンスキーが扮する主人公は高校教師ゴロボロジコだった。

現職大統領の腐敗政治に憤慨する高校教師が「ウクライナの政治はおかしい」と言っているうちに、大統領選挙に立候補するはめになり当選する。しかし、腐敗政治家と寡占資本家（オリガルヒ）の開票操作により当選無効とされたうえで、反体制派と見なされて投獄される。ドラマの腐敗した大統領は、明らかに１５年当時のポロシェンコ（１４～１９年在任）を当てこすっている。

ドラマでは、２０４９年のウクライナ医科大学の授業が描かれる。

「今はどういう生活ですか。生活水準はどうですか」

「正常です。悪くないです」

「経済の発展によって、私たちは世界の中で最先端に立つようになりました。政治も経済も先進国です。しかし２０年前はこんな状況ではありませんでした。教師の給与は足りない。光熱費さえ足りない時代でした。高齢者はものすごく貧乏な暮らしをしていて、古い車しか走っていない貧しい状態でした。当時の時代と今を比較してみることが重要です。２０１９年のウクライナ大統領は誰でしたか」

ゼレンスキーが扮する高校教師は、投獄されてもなお腐敗政治と闘う。その高潔な人物が大統領になって大きな政治変化が起きたおかげで、ウクライナは世界の最先進国へと発展した。こういうストーリーだ。このドラマはテレビで爆発的な人気を得て、高視聴率を獲得した。

その勢いに乗ってゼレンスキーはドラマと同じ１９年に大統領選挙に出馬し、当選した。得票率は７３％を超えた。フィクションであるはずのドラマが、現実となったのである。

ロシアが侵攻した時にウクライナ国民は「自由と民主主義のために戦う」と立ち上がった。ゼレンスキー大統領は米国やＮＡＴＯの首脳がポーランドに避難するように提案したが、断り、ウクライナに留まった。ゼレンスキー大統領と国民は心の底から自由と民主主義を望んでロシア軍と戦っている。

ウクライナ国民は過去のウクライナの腐敗した独裁政治を体験したからこそ絶対にプーチンロシアに支配されることを拒否している。

ウクライナはゼレンスキー氏が大統領になり国内の民主化は実現に向かっている。しかし、戦争でロシアに敗北すればロシアに支配されてしまう。絶対にそんなことになってはいけないと米国、ＮＡＴＯ、民主主義国家はウクライナを支援している。民主主義国家の結束が非常に強いことを示したのがウクライナ戦争である。ウクライナが勝てばプーチン政権が崩壊するだろう。ウクライナ戦争はロシアの民主化につながる戦争でもある。

タイ、ミャンマーは軍事政権が民主化を押さえている。イランとアフガンはイスラム教独裁政治の弾圧は強固であり、女性の津別反対の運動は弾圧されている。しかし、根強い闘いがこれからも続くだろう。女性、生命、自由」は民主主義の戦いである。

新型コロナ問題

１１月６日

愚かな岸田政権のコロナ対策　感染拡大を放置

８月２８日のブログで「沖縄県はピークアウトした全国はまだ」を発表した。

８月９日は１０万人当たり新規感染者は２１５９．６３人であった。沖縄は全国最多が続いていた。２８日には１４６０．５６人で、全国８位になった。ピークアウトした沖縄は感染率が着実に下がり続けた。１１月５日には１１９．０３人で、全国４７位になった。私が８月２８日のブログで指摘した「沖縄県はピークアウトした」は正しかった。

ピークアウトしたからといって感染がゼロになるということはない。感染が以前のように１０００人２０００人と増加することはなく、低い感染状態が続くということである。日本全体はピークアウトしていない。だから、再び感染増加する。

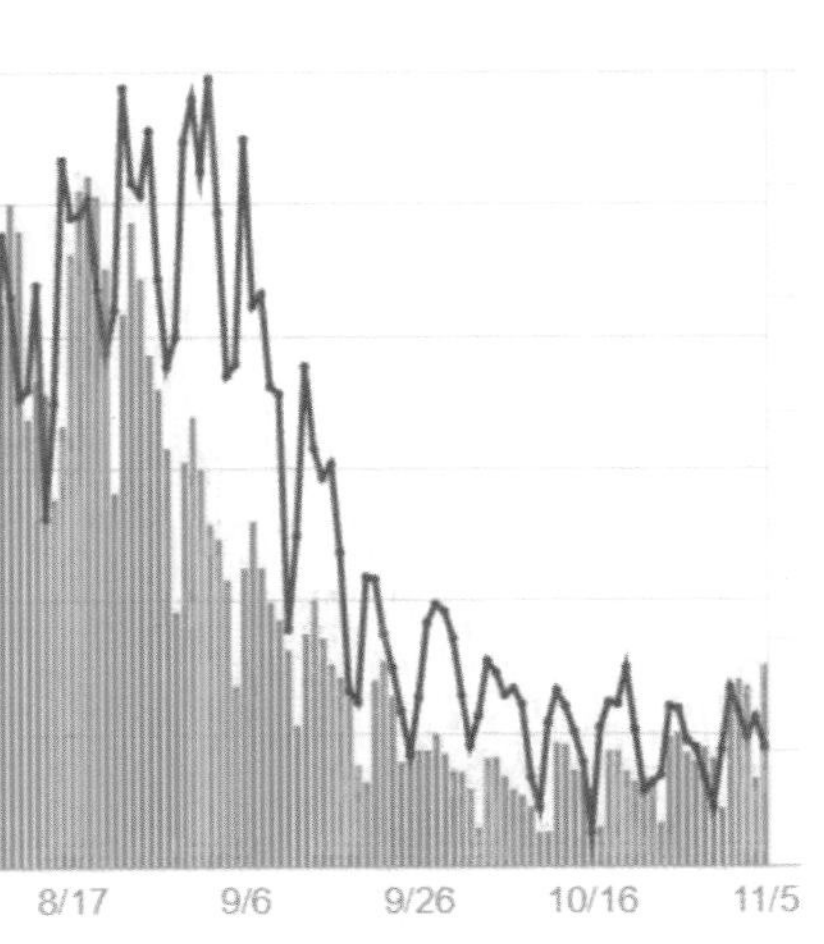

５日の国内感染者は７万５６４６人になった。全国の感染は増加傾向が明らかである。岸田政権のコロナ対策のブレーンは菅政権のコロナ対策を批判し続けた感染専門家たちである。コロナはインフルエンザと同じ空気感染であるとする専門家には緊急事態宣言のような感染を押さえる理論がない。無能な専門家たちは岸田政権に感染拡大を放置する政策をやらせている。菅政権のクラスター対策班とは雲泥の差である。

１１月９日

専門家、マスメディアはコロナ感染拡大推進派のグルである

コロナ感染表

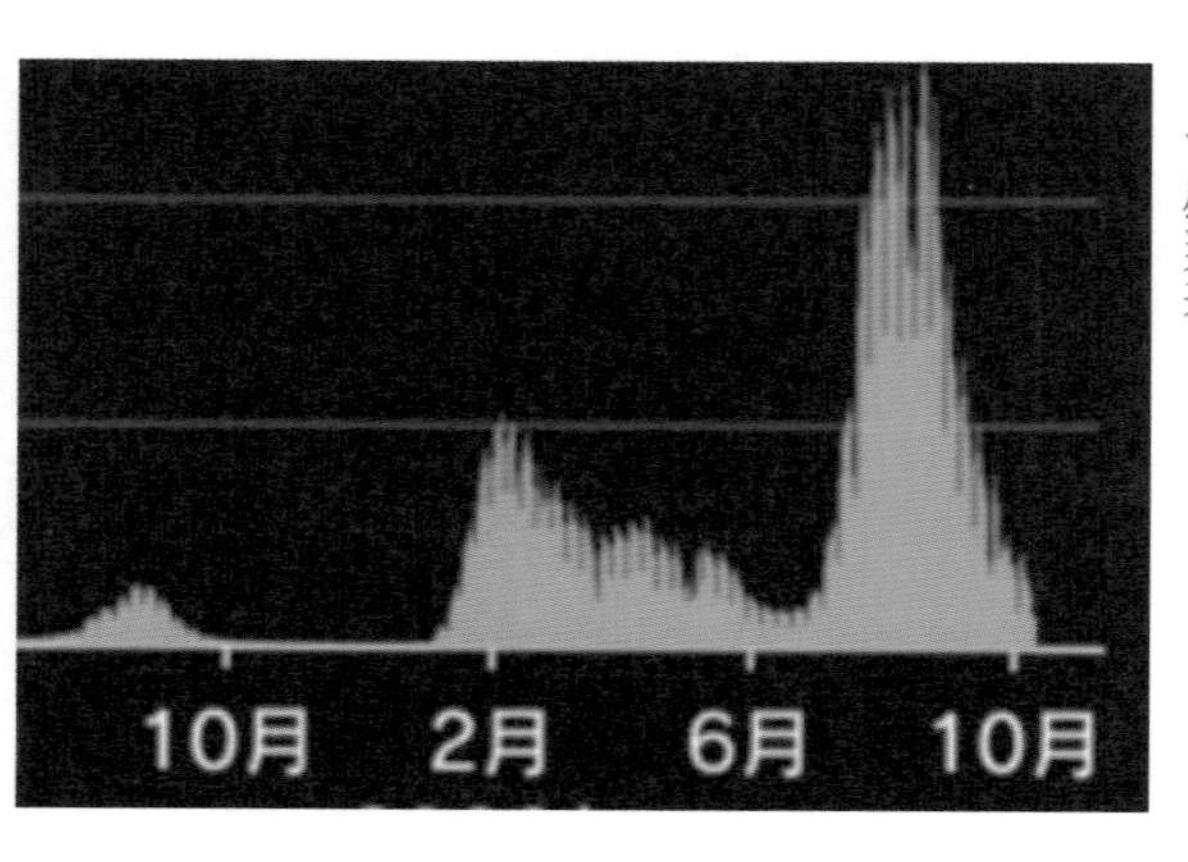

信じられないことが起きている。表は第５波、第６波、第７破の表である。この表を見てすぐに疑問に思うのは第５波は減少後に３カ月間も感染が非常に少ないのに第６、７波では非常に増加しているし、減少しても１万人以上感染している。第７波では２万人以上である。

この表を見たほとんどの国民は第５波と第６、７波の感染の違いに関心を持つはずだ。感染数があまりにも違う原因を国民は専門家に解明してほしいだろう。しかし、専門家は解明していない。解明しようとはしないで無視している。信じられないことである。コロナ感染は医学であり科学であり事実が重要視される世界である。個人的な主観が許されない世界である。ところがコロナ感染がはっきりと違っているのにその事実を無視しているのが日本の感染専門家である。あり得ないことである。

感染専門家であるならこの事実を受け止め、原因を解明し、感染を押さえる方法を見つけていくべきである。しかし、やらない。無視する。実は専門家たちは違いの原因を知っている。知っているが無視しているのだ。

専門家が例として利用する過去のコロナ感染表は第６波、第７波である。第５波は絶対に使用しない。

専門家の間では第８波が始まっているのではないかという予想が広まっている。１２月に第８波が来るというのが専門家の定説であった。しかし、１１月に７万人の感染者が出たので第８波は１１月になると多くの専門家は予想するようになろつた。倉原優呼吸器内科医は「新

型コロナ第8波のピークはいつ？　先行指標『発熱相談件数』『検査陽性率』が増加　医療逼迫は防げるか」を発表している。倉原医師が見せた感染表は第6、7波だけである。

倉原医師は第8波のピーク時期を指摘しないし、感染者数も予想しない。最後に「コロナ禍で8回目の波です。マンパワーが湧いて出てくるわけではないので、一定数の感染者数が出てしまうと、やはり医療は逼迫してしまうかもしれません。65歳以上の高齢者や小学生以下の子どもなど重症化リスクがある人が優先的に受診できるよう、配慮いただけると幸いです」と結論付けている。

感染者が多くなれば医療逼迫になると当たり前のことを言い、感染者は検査に混乱がないように配慮やれと国民に要求しているだけである。コロナ対策ではない。医者が楽するように国民に要求しているだけだ。これが専門家の実態である。

第5波を無視しているのは専門家だけではない。マスメディアも同じである。

専門家とマスメディアは安倍、菅政権のコロナ対策を徹底して批判し続けた。世界でもっとも感染率が低いのに安倍、菅政権のコロナ対策は間違っていると非難し続けた。マスメディアには多くの専門家が登場してコロナ対策を批判した。ところが菅政権が第5破を完全に押さえた時には沈黙した。

岸田政権になり、コロナ対策のブレーンは押谷教授のグループから旧来の感染専門家に移った。感染は第6波では10万人になり、第7破には26万人になった。世界で感染が最も少なかった日本がもっとも多い日本になった。第5破は数百人まで少なくなったのになぜ第6波、第7波で10万、26万になったのか。マスメディアは先頭に立ってこの問題を追及するべきである。追及をして感染を押さえる方法を政府に提示するべきである。しかし、しない。

専門家とマスメディアが第5破を無視するのは菅政権のコロナ対策が効果があったことを認めたくないからである。認めれば専門家は自分たちのコロナ感染論が間違っていることを認めることになる。マスメディアは菅政権のコロナ対策を称賛することになる。自民党政府への称賛を絶対にやらないのがマスメディアである。

安倍前首相の暗殺でも安倍首相の政策の実績を無視し、テロ問題よりも安倍首相と旧統一教会との関係の報道に集中していったのマスメディアである。次第に安倍首相暗殺問題から離れて旧統一教会の霊感商法が問題の中心になり、国会でも旧統一教会対策の与野党会議が開かれるようになる。マスメディアの狙い通りだ。旧統一教会の問題は政治としてはとても小さい問題である。マスメディアに踊らされている岸田内閣、与党、野党である。

コロナ感染に無対策　沖縄のピークアウトも知らない　感染予測間違い日本感染専門家

１１月１３日

岸田政権のコロナ対策班は感染爆発を招く最低なブレーン

岸田政府はコロナとインフルエンザが同時に流行することを想定している。岸田政府によるピーク時の感染者の予想はコロナ４５万人、インフル３０万人の計７５万人である。

菅政権で２万５０００人感染だったのが岸田政権になると第６波１０万人、第７波２６万人と大幅に増加した。菅政権ならあり得ないことである。さらに驚くのは岸田政権の第８波の推計である。現在１日７万人感染しているが第８波のピーク時の感染者数をコロナ４５万人と推計しているのである。菅政権であればすでに緊急事態宣言を発令して、感染を７、６、５・・・１万人以下に減らしていた。緊急事態宣言こそが感染を減らす有効な対策である。

岸田政府になるとクラスター対策班から感染専門家たちに代わった。彼らは緊急事態宣言発令を放棄した。だから、感染は１０万、２６万と増大し、第８波は４５万人感染を予測するのである。そうなることを去年の９月に発売した「内なる民主主義２７」に書いた。

８月１３日

専門家がコロナ対策を主導すれば沖縄のように感染爆発する

地方自治体のコロナ対策会議を占めているのが専門家である。感染の原因が人流であると考える専門家である。専門家はクラスター潰しによるコロナ感染対策を軽視している。酒を出す飲食店を厳しく取り締まることを重視していない。だから、東京をはじめ全国店に感染が拡大したのは取り締まりを緩くしたことが原因である。

沖縄のようにＰＣＲ検査や規制を緩くすれば感染爆発が起こるのは確実である。

内なる民主主義２７

岸田政府のブレーンは専門家である。専門家がブレーンになったから沖縄のように感染爆発したのである。

岸田政府は社会経済活動を維持しながら感染拡大防止策を行う方針として外出自粛の要請を都道府県知事に判断させる。外出自粛要請は感染を押さえる効果がないことは菅政府の時に明らかになっている。

岸田政府が緊急事態宣言を発令しない日本は再び断トツの感染国になる。確実である。

11月30日

第8波の感染状況を調査しない専門家　だから感染予測も対策も最低

沖縄・北海道・東京のコロナ感染表である。

沖縄

東京

北海道

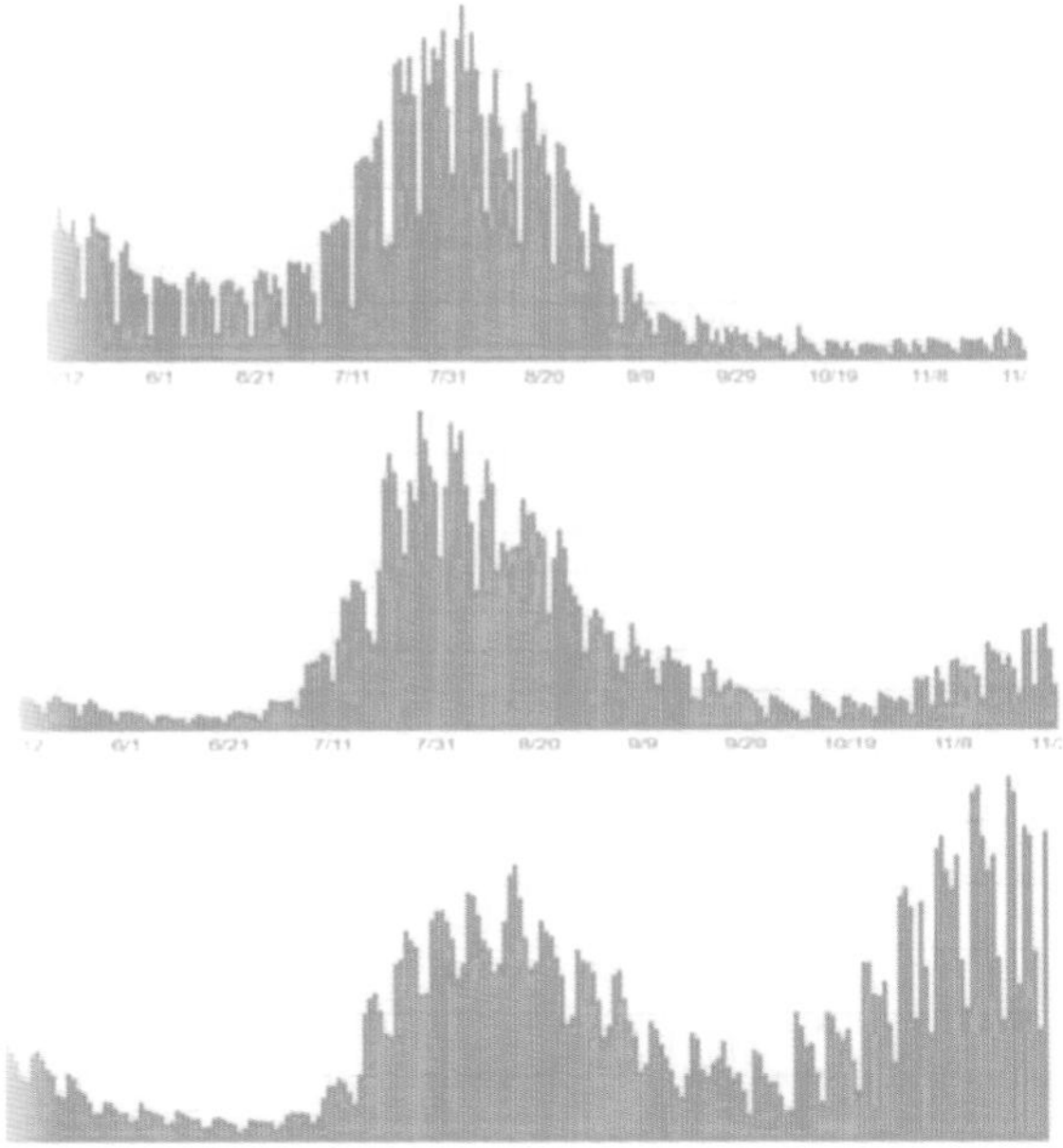

表を見れば北海道は明らかに第8波に入っていると分かる。東京は北海道のように感染が拡大していないが第8波に入っていると言える。しかし、沖縄はどうだろうか。感染は低いし、感染が拡大しているようには見えない。東京や北海道のように第8波に入っているとは言えないだろう。同じ日本でありながら感染の状態が違っている。なぜ違うのか。

第8波は日本が初めて体験するコロナ感染のパターンである。この事実を専門家やマスメディアは無視している。無視しているから感染の違いを説明することができない。

第5波までは菅政権のクラスター対策班がコロナ対策をやっていた。菅政権は濃厚接触者のPCR検査を徹底し、感染が拡大すると、緊急事態宣言を実施して感染を押さえた。第6波からは岸田政権がコロナ対策をした。岸田政権は第6波の時は感染が拡大するとまん延防止等重点措置を実施して感染を押さえた。しかし、第7波の時はまん延防止を実施しないで感染拡大を放置した。そのために26万人という最高の感染拡大をやった。コロナの削減対策はなかったがコロナは26万から自然に減少していった。減少はしていったが2万人以上の感染が続いた。第5波に近い感染状態が続いた。第5波を参考にすれば第7波が終息したとは言えなかった。第7波が終息しない内に再び感染が増加していった。それが第8波である。第8波は第7波までとは違う特徴がある。沖縄、東京、北海道の感染表に見られるように感染に違いがあるのだ。違いの原因は感染率にある。

沖縄、東京、北海道の感染率を調べた。

沖縄感染率　35、5%、
東京感染率　25%、
北海道感染率　20%

感染率が30%を超えたら感染増加は止まり、次第に減っていく。そして、低い状態が続く。それがピークアウトである。感染率が高かった多くの欧米の国々の現在は感染が5万人以下のピークアウト状態になっている。感染爆発が続いた沖縄は日本で唯一のピークアウトした自治体である。

北海道は第7波以上に感染している。しかし。東京は第7波よりは感染していない。その原因は感染率の違いにある。東京は25%、北海道は20%の感染率である。5%の違いが感染を左右しているのである。

大阪府も気になったので調べた。大阪府の感染率は25、9%だった。大阪府の感染表である。東京都と似ている。感染率が感染拡大と密接な関係があることは確実である。

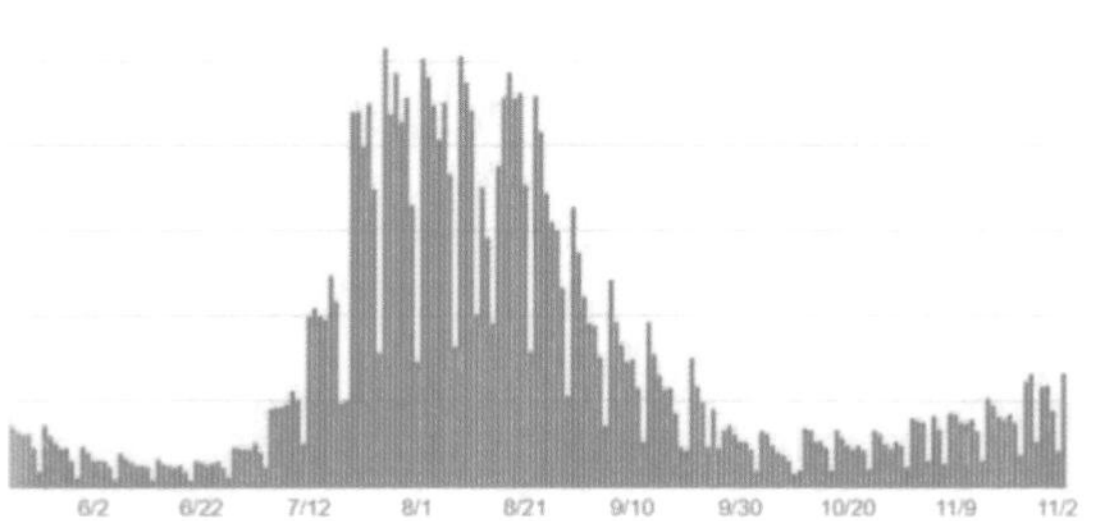

第5波までは緊急事態宣言によるコロナ対策によって感染が削減されていき、感染者は少なかった。感染者が少ないので感染が始まると急激に増加した。第6波が急激に増加したのは全国的に感染者が少なかったからである。第6波の時はまん延防止の発令によって感染者を減少させていった。だから、感染拡大は押さえられた。だから、第7波は急激に感染増加した。しかし、第8波は違う。第7波で削減対策はしなかったから自然に減少した。だから、それぞれの自治体で沖縄のように感染率が高い自治体もあれば北海道のように感染率が低い自治体

もある。

　第8波では感染が低い自治体もあれば高い自治体もありバラバラであるのだ。だから、それぞれの自治体の感染状況に合わせてコロナ対策をするべきである。しかし、岸田政権はやらない。


　沖縄県は26日、新型コロナウイルス感染症対策専門家会議（座長・国吉秀樹中部保健所長）を県庁で開いた。県の専門家会議は新型コロナとインフルエンザが同時流行することを想定している。これは沖縄県だけでなく政府と全国の専門家も同じ考えである。去年インフルエンザは流行しなかった。原因はコロナだと言われている。それに去年の12月はコロナも数百人程度で少なかった。ところが県の専門家会議は12月は1日の最多新規感染者が新型コロナが5184人、インフルが3732人になると試算している。5000人以上のコロナ感染を試算しているのは驚きである。専門家はコロナ感染表を見ていないのだろう。

　これまでのコロナ感染を調べれば12月に感染が5000人以上になることは絶対にありえないことが分かる。1000人を超すかどうかである。去年を参考にすれば、インフルは流行しない。

　県民を安心させるのではなく、県民に恐怖を与えているのが県の専門家会議である。残念であるが事実である。

12月1日

コロナ感染が4週連続で日本が世界最多　医師会・専門家がコロナ対策をすればこうなる

　4週連続で日本がコロナ感染世界最多である。死者は2番目。

　世界保健機関（WHO）の新型コロナウイルス感染症の集計で、21～27日の週間感染者数が日本は前週比18％増の69万8772人で、4週連続で世界最多となった。次いで多いのは37万人の韓国、29万人の米国。

（共同）

　コロナ感染は日本が世界最多である。世界トップになったのは岸田政権になってからである。菅政権の時にはあり得ないことである。岸田政権になってコロナ対策班が代わった。菅政権のコロナ対策を批判し続けてきた感染専門家たちが政府のコロナ対策ブレーンになった。専門家ブレーンは菅政権で行って来た緊急事態制限の実施を止めた。唯一感染を減少させるコロナ対策を止めたのである。だから感染は岸田政権になると急激に感染増加し、26万人まで増加した。26万人は世界最多の感染数であった。

日本が世界最多になったことに驚きはしない。当然である。専門家、医師会がコロナ対策を主導すれば世界最多になることを２年前の「内なる民主主義」で指摘していた。

２年前の５月に出版した「内なる民主主義２３」でコロナ対策は世界で日本がもっとも優れていることを指摘し、なぜ優れているかを説明した。

２０２０年５月出版

沖縄　日本　アジア　世界　2020・05

内なる　民主主義23

新型コロナウイルス対策は
世界で日本が最も優れている

新型コロナウイルス感染による死者は
米国5万9302人・イタリア2万7682人・イギリス2万6097人
スペイン2万4275人・フランス2万3650人である。 対策が
成功していると言われているドイツでさえ 6812 人である。
日本は617人で圧倒的に少ない。
クラスター対策班によるクラスター潰しによって
先進国の中では新型コロナ感染による死者数を圧倒的に。
少なくした日本である。
この真実をないがしろにする日本マスメディア。
日本マスメディアがクラスター潰しを世界に発信していたら
新型コロナ死者は半減していただろう。

クラスター潰しをやったのは唯一日本だけ

著作・編集　又吉康隆

新型コロナ対策は
世界で日本がもっとも優れている

新型コロナウィルスによる死者は米国が５万９３０２人・イタリア２万７６５２人・イギリス２万６０９７人・スペイン２万４２７５人・フランス２万６８２人である。対策が成功していると言われているドイツでさえ３８１２人である。日本は６１７人で圧倒的に少ない。

クラスター対策班によるクラスター潰しよって、先進国の中では新型コロナ感染による死者数を圧倒的に少なくした日本である。

この真実をないがしろにする日本のマスメディア。日本のマスメディアがクラスター潰しを世界に発信していたら新型コロナ死者は半減していただろう。

クラスター潰しをやったのは日本だけ

目次

コロナ感染対策は日本が一番優れているのを発信しないマスコミ
２０２０年０４月０１日
コロナ感染死者の少ない原因を世界に説明できない日本マスメディアの愚かさ
２０２０年０４月０４日
新型コロナ対策で日本が米国・イタリアより遅れていると思わせたい朝日
２０２０年０４月０６日
首相、緊急事態宣言へ　クラスター潰しの限界
２０２０年０４月０６日
ＰＣＲ検査信奉のアホな学者・評論家が朝日テレビに出る
２０２０年０４月０８日
日本のクラスター対策の成果を理解していない海外メディア
２０２０年０４月１２日
ＷＨＯが日本のクラスター対策を評価した　でも遅いよ
２０２０年０４月１５日
クラスター潰しこそが新コロナ感染封じの最良手段　その真実に目を背ける日本マスメディア
２０２０年０４月１９日
日本は絶対に海外のような感染爆発は起こらない　断言する
２０２０年０４月２１日
日本は絶対に海外のような感染爆発は起こらない　断言する２
＊菅政権のクラスター対策班がコロナ対策をしていたら感染爆発は起こらなかった。しかし、専門家、医師会がコロナ対策をしたから感染爆発は起こった。

２０２０年９月出版

沖縄 日本 アジア 世界　2020・09
内なる民主主義24
中国漁船の尖閣侵入を大歓迎する
経済悪化 コロナ感染拡大 デニー知事の最悪政治
沖縄県のPCR検査は人間差別
新型コロナ対策に失敗するはずなのに成功した不思議な国ニッポン
コロナ対策に成功しているのにそれを自覚しない不思議な国ニッポン
新型コロナ対策に成功したことを説明できない不思議な国ニッポン
日本政府が韓国に制裁するのは当然である
独立国家としての威信がかかっている
香港問題は香港だけでなく中国の民主化問題でもある

目次

コロナ対策に成功しているのにそれを自覚しない不思議な国ニッポン
新型コロナ対策に成功したことを説明できない不思議な国ニッポン
新型コロナ感染対策はPCR検査・ロックダウンしかない世界の公衆衛生専門家が感染爆発を起こさせた詰まらないPCR検査拡大要求のの大合唱
感染症専門家が新型コロナ感染封じを知らないという驚くべき真実

専門家、医師会、マスメディアは菅政権のコロナ対策は後手後手であると非難し、第5波で感染者が2万5千人なると自然災害に等しい、医療崩壊だと菅政権を非難した。ところが岸田政権になり専門家、医師会がコロナ対策のブレーンになるとと感染は26万人と世界トップになった。感染が世界最悪になったのに専門家、医師会は岸田政権を非難しない。非難すれば自分を非難することになるからだ。マイメディアも世界最多になった岸田政権のコロナ対策を非難しない。

コロナ感染世界最多が4週連続になってもマスメディアは岸田政権を批判しない。29日のコロナ死者は229人なった。マスメディアは静かである。専門家、医師会、マスメディアおかしい。狂っている。

12月4日

やっぱり日本は狂っていると思わざるを得ない

内なる民主主義30を10月に出版した。「専門家がコロナ対策を主導すれば感染爆発する」を去年9月発売の27号で宣言した。宣言通りである。

それよりも菅政権は東京五輪を開催し成功させた。素晴らしいことである。

9月3日

菅首相がマスメディア・専門家・医師会の圧力を跳ね返し東京五輪開催した意義は大きい

世論調査で80％が東京五輪開催に反対していた。国民の主張を尊重するなら五輪開催は中止すべきだった。しかし、菅首相は五輪開催した。国民の主張に沿うのが民主主義であるなら菅首相の五輪開催は非民主主義ということになる。国民が東京五輪開催に反対したのは開催すればコロナ感染が拡大し日本はパンデミックに陥ると信じたからである。信じさせたのはマスメディア、専門家、医師会であった。

圧倒的な五輪開催反対でありながら菅首相は五輪開催を決めた。東京五輪を開催したのは五輪は感染拡大をさせないという確信があったからである。安倍首相時代に官房長官をやり、政府のコロナ対策を見てきた。今まで培ったコロナ対策を東京五輪に適用すればコロナ感染拡大はしないという自負が菅首相にはあった。だから、五輪開催をしたのである。

東京オリンピック開催中に緊急事態宣言を発令していたのに東京都のコロナ感染は拡大した。マスメディアや専門家はオリンピックと関係があると指摘した。しかし、感染拡大したのは都だけではなかった。東京から遠く離れた緊急事態宣言を発令していた沖縄県も感染拡大した。感染率では東京都よりも沖縄県の方が上回った。感染拡大はオリンピックには関係がないのは沖縄県を見れば分かることである。緊急事態宣言をしていながら濃厚接触者のＰＣＲ検査、感染経路調査、酒提供店への規制を手抜きしたから感染拡大したのである。手抜きすれば感染爆発する。沖縄県がそのことを実証した。

オリンピック開催中に都の感染は拡大した。一部マスメディア、専門家は感染拡大はオリンピックの性であると主張し続けた。オリンピックが終了し、全国が感染拡大する中でパラリンピックが開催された。感染は拡大する・・・はずが、なんと減少していった。パラリンピック開催ではっきりしたのはオリンピック・パラリンピックが感染拡大とは関係がないことである。

「国民の命を守るために東京五輪中止」が真っ赤な嘘であることを菅首相は明らかにしたのである。

内なる民主主義27

菅政権のコロナ対策を評価しないマスメディア、専門家である。それはおかしい。内なる民主主義27の表紙に「コロナ対策に成功し東京五輪開催に成功した菅政権を非難する日本は狂っている」と書いた。

あれから1年以上経過したが。菅政権のコロナ対策を評価するジャーナリスト、専門家は出てこない。やっぱり日本は狂っていると思わざるを得ない。

マスクに感染抑止力があるのか疑問だ　沖縄県はマスクをはずそう

マスクにコロナ感染の抑止力が本当にあるのだろうか。最近は疑問を持つようになった。

日本は第7波で一日26万人感染に達して、世界トップの感染数になった。マスクをしない米欧州よりマスクをしている日本のほうが感染は高いのである。現在も日本が世界トップの感染数である。マスクに感染抑止力があるのなら世界トップの感染数にはならないはずである。ところがほとんどの国民がマスクをしている日本が感染トップで、マスクをしていない米国や欧州などの国々が日本より感染していない。マスクをしているのに感染世界トップというのはマスクには感染を防ぐ効果がないのではないかと考えるのは当然である。

マスクをするのは感染しないのが目的ではない。感染者が他人に感染させないためである。だから、本当は感染していない人はマスクをする必要がない。みんながマスクをしている理由は感染しているかしていないかがはっきりとは分からないからだ。いつの間にか感染している可能性もある。ＰＣＲ検査をして陰性であることがはっきりしている人はマスクをする必要はない。

マスクすれば感染しないと考えるのは間違いである。マスクすれば感染した時に感染させないという考えが正しい。

日本は全国民がマスクをしているのに感染世界一が続いている。マスクには感染を押さえることができないということ証拠である。マスクはしなくていいのだ。

全国一斉にマスクを外すのは難しいはずだから、感染率が日本一高いから日本一感染が少ない沖縄県から始めたらどうだろう。

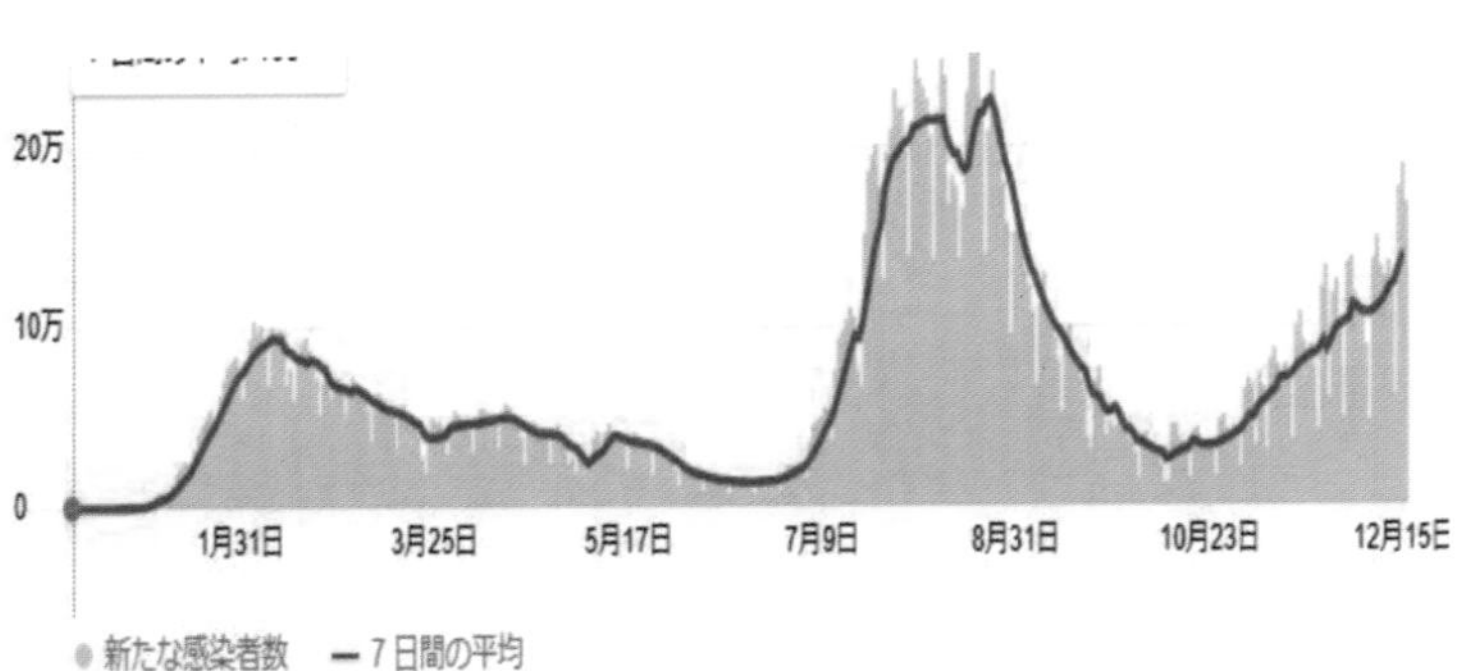

12月20日

沖縄はコロナ感染が低い状態で横ばいになることが決定的

沖縄のコロナ感染が減少した。
18日、446人（前週より61人減少）。
19日、295人（前週より37人減少）。
20日、877人（前週より50人減少）。

沖縄では3日間連続でコロナ感染者が減少した。第8波で減少するのは初めてであり、減少が3日間続いた。これからもずっと減少していくかどうかは分からないが、増加がストップしたのは確実である。全国は感染増している。今日も10，582に増えて感染者は189，983人である。全国は増え続けているのに沖縄だけは3日間減少したのである。

8月28日のブログで指摘した通り沖縄県はピークアウトし急激に感染は減少していった。11月4日には全国最下位となった。全国最下位は現在までずっと続いている。ピークアウトしたのだから当然である。

第8波に入ると少しずつ増えていった。増え方は全国で一番低い。次の問題はピークアウトした沖縄の感染増加がいつ止まるかであった。

18日から3日間減少した。これは増加がストップしたことを示すものであると考えることができる。そうであれば欧米などと同じようにコロナ感染は横ばいすることになる。

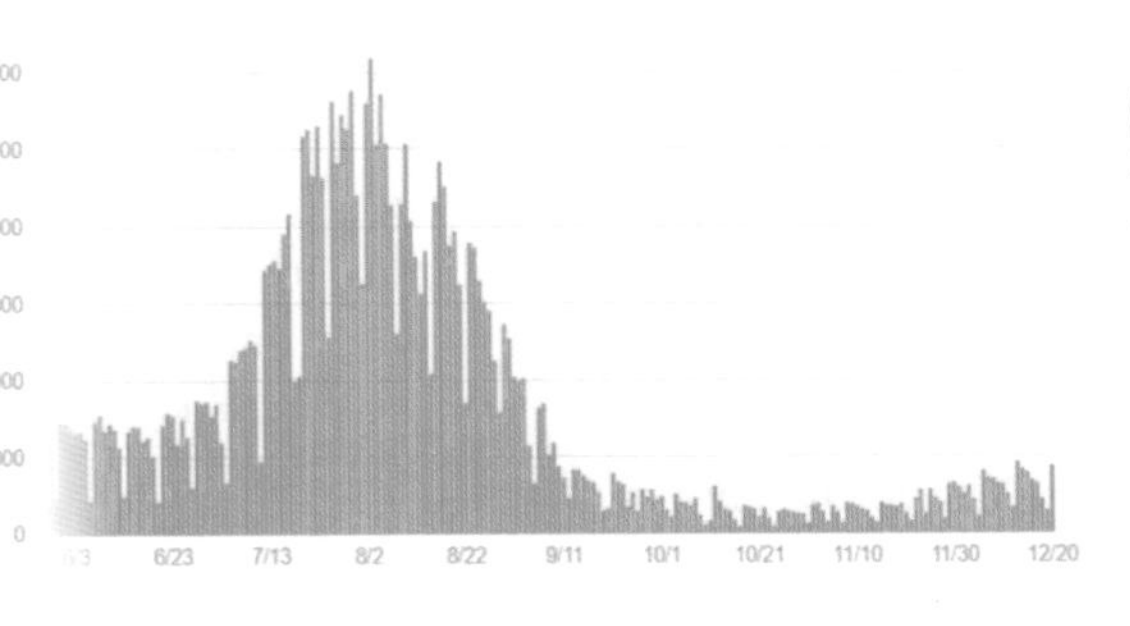

ピークアウトしても感染はゼロにはならない。感染が非常に少なくなるだけである。そして、少ない状態で横ばいする。沖縄は感染増が止まったとみるべきである。

ところが沖縄県の専門家はこのことを知らない。19

日に開いた新型コロナウイルスに関する専門家会議（座長・国吉秀樹県医療技監兼衛生環境研究所長）は、ここ数日は感染状況が落ち着いたが、感染は増加していくと予想している。沖縄はワクチン接種率が15日現在で32・05％と全国で低い方に入る。それでも感染率は全国最低である。原因は全国断トツの感染率だからである。

、県の専門家会議は1日の最多新規感染者が5184人に達すると予想している。第8波並みのコロナ感染になると考えている。感染した人は抗体を持つから感染しない。感染者が多ければ多いほど感染率は下がるのだ。沖縄の感染率はとても高い。だから、感染者が少ない。沖縄で現在起こっていることである。ところが沖縄の感染専門家はそのことを理解していない。感染の専門家でありながら感染の基本を知らないのである。第7波で抗体者が非常に増えたのに、第8波が第7波以上の感染率になると信じているのである。沖縄の専門家には感染論も、統計学もない。呆れてしまう。これからの沖縄の感染は1000人を超すことはないと思う。

北海道は感染率が10％台であった。だから、感染は第7波よりも増えた。11000人まで増加した。その後は減少していった。20日には6173人になった。これからも減っていくだろう。現在の感染率は22％である。沖縄のようにピークアウトするには8％足りない。今後何人まで減るかは予想できない。無理して予想すると4000人くらいか。

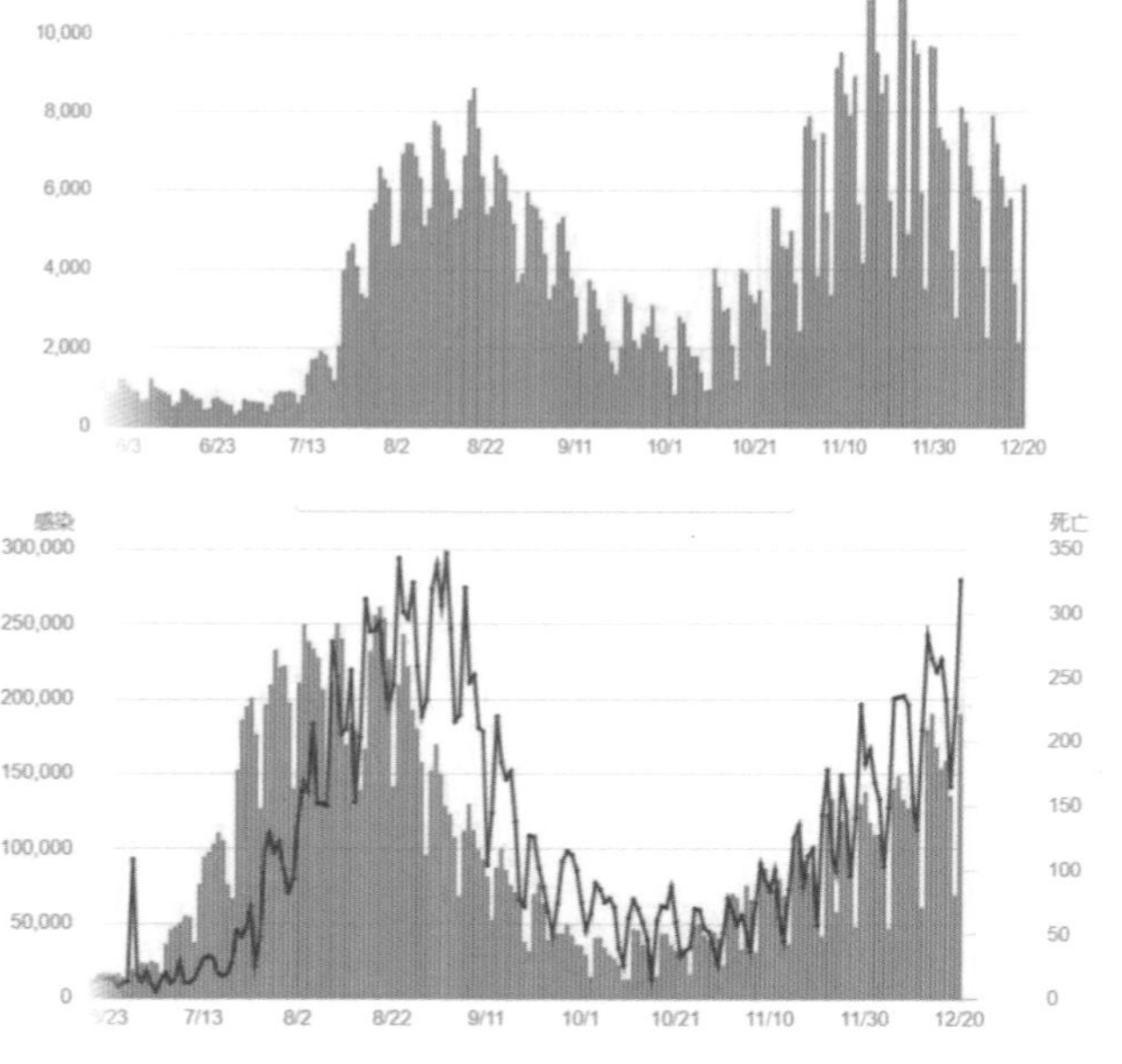

全国の専門家は都道府県ごとの感染率を調べて、感染率を参考にして感染予想をするべきである。しかし、やらない。沖縄の専門家と同じである。

12月29日

日本は21万人　米国7万人　コロナ感染を世界1にするのが日本感染専門家の得意技

日本のコロナ感染は21万人を超した。米国は7万人である。日本は米国の3倍の感染数である。日本の世界トップの感染は1カ月以上も続いている。専門家は致死率が下がったので第2類から第5類にしようとしている。ところが死者は27日438人、28日412人と初めて400人を超えた。感染数は第7破より少ないのに死者は増えている。専門家は死亡率は下がっているといっているが現実は死者が増えているのである。専門家の判断はおかしい。名だけの専門家ではないか。

去年の12月の感染は100~300人であった。ところが今年は20万人を超している。菅政権はコロナ感染を減らすために緊急事態宣言を発令して9時以降の飲食店の営業を禁じた。飲食店には補助金を供与した。岸田政権は緊急事態宣言をしないでコロナ感染を放置した。だから、第7波では26万人に達し、第8波でも20万人を超した。緊急事態宣言で飲食店に供与した金はゼロになり、その代わり莫大な政府の金がPCR検査をする病院に流れた。コロナ感染者が激増することにより飲食店の客は減っていった。経営は悪化し、倒産する飲食店が増えている。

医師会の圧力でPCR検査の結果陽性であっても軽症、無症状者は保健所に報告しないようになった。医師の事務負担が激減したのである。PCR検査は激増し、事務作業は減ったのが病院である。

岸田政権は医師会や専門家の言いなりになり、感染は激増し、病院に莫大な利益をもたらし、飲食店を窮地に追いやった。

岸田首相は経済を優先させる理由で緊急事態宣言を実施はなかった。緊急事態宣言は飲食店の9時以降の営業を禁止するだけであり、飲食店以外の企業は自由に営業できた。コロナ感染が10万20万人と増えれば人々は飲食店に行かなくなるし、会社の欠勤者が増え、経済活動が悪化する。

岸田首相のコロナ対策はコロナ感染を激増させる一方で病院の利益を莫大にするものである。

マスメディアは感染が20万に激増しても、死者が400人を超えても岸田政権批判をしない。菅政権のコロナ対策を批判し続けた専門家、医師会、マスメディアが岸田政権を批判しない。奇妙である。

12月30日

コロナ感染死者が15・9倍　このままだと死者激増が長期化する

コロナ感染死者を2021年と2022年の3カ月（10月1日～12月29日）をを比べる。

2021年　744人、
2022年　1万1853人

なんと22年の感染死者は21年の15・9倍である。日本のコロナ感染は恐ろしい状態になっている。この結果はコロナ対策が失敗していることを示すものである。

このままでは感染死者の激増が長期化するだろう。死者激増の原因は専門家、医師会のコロナ対策が原因である。マスメディアが問題にしない限りこのままの状態が続くだろう。今こそ、マスメディアはコロナ感染が悪化した原因を追及するべきである。菅政権のコロナ対策と岸田政権のコロナ対策を比べて岸田政権の感染激増の原因を明らかにするべきだ。

残念ながらしないだろうなあ。マスメディアと専門家は癒着しているからなあ。

二大政党

10月31日

維新の会と立憲民主が二大政党へ向かって歩み始めた

立憲民主党と維新の会が「国会内共闘」することを決めた。国会内共闘とは共同で法案提出することであり、両野党は政策で自民党と闘う方向に進めるということである。

立憲民主党単独で与党になるのは無理である。維新の会も同じである。バラバラの野党が一つにまとまらない限り自民党を倒して与党になることは不可能である。まず野党の二大政党である維新の会と立憲民主の共闘することが野党全体の共闘実現を可能にする。

維新と立憲は

▼憲法53条に基づいた臨時国会の召集要求に政府が応じるようにするための国会法改正案の提出

▼衆院小選挙区をめぐる、いわゆる10増10減を反映させた公職選挙法改正案の成立

▼旧統一教会の問題について協議を始める

など6項目で共闘することを合意した。

国会内で共闘することで政権与党自民党との対決姿勢を鮮明にする狙いがあると立憲民主党の安住淳国対委員長は言い、

「両党にとってこの共闘は活路を開き、政権をどう目指していくかということに対して、真剣にそのパートナーになりえるかどうか、考えるきっかけにしていかないといけないと思っている」と述べた。

立憲の泉健太代表は10月5日の国会での代表質問で、「日本維新の会をはじめ、他の野党や良識ある政治家と共闘し、新たな選択肢を示していく」と共闘を匂わした。

維新の馬場氏も「単独で政権政党を目指す方針は変わらないが、プロセスとして（重点政策の）維新八策を実現するチャンスがあれば、是々非々」と述べた。

立憲・小川淳也は橋下徹との議論で、

『立憲だろうが、維新だろうが、共産だろうが、何でもいい。とにかく固まって自民党を倒してくれ。それに勝る大義はない』と野党の支持者には言ってほしいし、それに耐えられるような野党の構造を作らないといけない」「大きな家を建てて、極端に言えば維新も立憲も国民（民主党）も党内の派閥でいいじゃないかと。場合によっては共産党も含めて、お互いに切磋琢磨する。私はめちゃくちゃ叩かれているが、『自民党が1つになれているのに、何で野党はなれないのか』と野党統一を本気で目指しての維新と立憲の共闘であることを述べた。

維新と立憲の共闘は二大政党へ向かって歩み出したということである。前途は多難である。

１１月１日

維新の会と立憲民主共闘の第一の壁は左翼立憲フォーラム

立憲民主党は保守と左翼が同居している政党である。立憲内では保守と左派の覇権争いがある。前党首の枝野幸男氏は左派である。現在の党首の泉健太氏は保守である。衆議院選で立憲民主は大敗した。その責任をとって枝野氏は党首を辞退し、泉氏が新しい党首になったのである。立憲民主指導部は左派から保守に代わった。左派と保守では政治傾向が違う。枝野党首時代の立憲民主は維新の会と対立し共産党と選挙共闘をしていた。

マスメディアは立憲と維新の関係を〝水と油〟と見ている。だから敵対から１８０度転換の共闘を「〝水と油〟は混じり合うのか」と疑問視している。マスメディアは立憲民主内には保守と左系が存在し、保守、左系では政治の方向性が違うことを認識していない。泉党首は保守系である。泉代表は党執行部を刷新した。左系から保守系の執行部にしたのである。

維新との共闘に危機感を持ったのが左系てある。枝野幸男前代表や菅直人元首相を顧問とする「立憲フォーラム」を再開した。立憲フォーラム」は枝野氏が党首の時は執行部が「立憲フォーラム」だった。しかし、泉党首になると立憲フォーラムが執行部ではなくなっので左系の議員連盟として再開したのである。

憲法改正や防衛費の増額に反対てある立憲フォーラムは泉健太代表ら「中道」路線の現立民執行部を牽制する狙いがある。

立憲フォーラムは「戦争させない・９条壊すな！　総がかり行動実行委員会」といった左派系市民グループとの連携を重視している。近藤氏や副代表の阿部知子衆院議員、事務局長の杉尾秀哉参院議員は、安倍氏の国葬と同じ日に国会前で行われた反対デモに参加している。

立憲フォーラムは反維新である。菅直人元首相はの維新嫌いは徹底している。泉党首は立憲フォーラムとの対立を勝たなければならない。勝つということは立憲民主の支持率を上げ、党内で保守派を増やすことである。

泉執行部にとって左派立憲フォーラムは大きな壁である。

１１月２日

維新の会と立憲民主共闘の第二の壁は共産党

泉健太代表は連合の芳野友子会長に、維新の会と共闘することと共産党とは距離を置く方針であると言った。連合は維新の会を嫌っているし共産党とは犬猿の仲である。連合が維新の会を嫌っているのは連合に加盟する日教組が大阪で維新に弱体化させられたからである。大阪の自治労組も弱体化させられた。連合加盟の日教組、自治労が維新の会によって弱体化させられたから吉野連合会長は維新の会を嫌っている。維新以上に嫌っているのが共産党である。

泉代表は共産と距離を置く意思を改めて伝え、維新との「共闘」に理解を得ようと芳野氏に説明した。泉氏が強調したのは維新との「共闘」をきっかけに、野党勢力を結集して政権交代を目指すことだった。泉代表の説明に吉野会長は、

「それは政党が判断することですが、その枠組みに共産が入ることは容認できません」

と言った。維新については触れなかったという。ということは維新との共闘は暗黙の了承である。共産党との共闘は容認しなかった。共産党を徹底して嫌っている吉野会長である。吉野会長が共闘するのに反対した共産党と選挙共闘したのが枝野前代表である。枝野前代表は維新の会ではなく共産党と共闘したのである。

立憲民主党は枝野氏が代表の時は維新の会を嫌い共産党と共闘し、泉氏が代表になると共産党を嫌い維新の会と共闘した。水と油である維新の会と共産党を代表によって共闘する政党を代えたのが立憲民主である。普通ならあり得ないことである。しかし、立憲民主党はやったのである。原因は立憲民主の体質にある。立憲民主は保守と左翼が併存しているのだ。だから、立憲民主内の保守系は維新と接近し、左翼は共産党と接近するのである。立憲内では保守と左翼がまだ融合をしていない。

泉代表の維新の会との共闘に対してすぐに共産党が反発した。志位委員長がツイッターで、

「維新が『憲法9条改憲の突撃隊』となっていることは明らかであり、もしも立憲代表が憲法をめぐって維新と協力の余地ありと考えているとしたら、とんでもない考え違いというほかない。野党ならば正面から対決すべきだ」

と批判した。日本維新の会に接近する立民に対し、共産の不満が爆発したのだ。維新は第二自民党であると徹底して敵視しているのが共産党である。

泉代表はツイッターで「憲法を『議論する』と言ったまでで、協力の余地ありなどとは一言も言っていませんが・・・。ずいぶん見当違いな認識と批判だ。敵味方をすぐに色分けし、異論は許さないという考え方こそ改められては」と応戦した。

共産党は維新との共闘に反対して泉代表を攻撃する。維新との共闘が進めば進むほど共産党の攻撃は激しくなる。共産党は維新と立憲民主の共闘に壁となって立ちはだかるだろう。

１１月５日

維新の会は大阪で立憲民主の左翼系と共産党をやっつけた過去がある

私は橋下大阪知事に強い関心を持った。１６年前の２００８年のことである。きっかけは橋下知事が大阪の生徒の学力を向上させることを宣言し、教育改革を始めたことだった。大阪の学力が低いことをその時に知った。沖縄の学力は最下位である。大阪都沖縄に共通することを知った。教員の権力が強いことである。北海道も学力は低かった。北海道も教員の権力が強かった。

私は糸満市で学習塾をやった。学習塾をやって知ったのは沖縄の学力が低い原因は教員に原因があることだった。教員は生徒の学力を向上させる情熱は全然ない。。落ちこぼれの生徒を放置している。教育熱心な若い教員が落ちこぼれの生徒を残して教えるとクレームをつけ、禁止させた。全ての生徒を平等に。特定の生徒だけに教えることは平等に反するというのが居残り授業を禁止する理由だった。学習塾をやっている内に沖縄の学力が全国最下位であるのは教員にあることが分かった。

橋下維新の会は教員、公務員との闘いに勝った。教育改革、政治核を実施していいった

２０１６年の「内なる民主主義９」に「おおさか維新の会に期待１」を掲載した。

おおさか維新の会に期待１

岡田民主党は国会内で議会制民主主義を破壊してしまうような行動をした。安保法案可決を暴力で阻止しようとしたのである。議会制民主主義の根幹は多数決である。多数決を暴力で阻止するのなら議会制民主主義は崩壊する。

シールズは安保関連法案成立を目指している安倍政権を暴力で倒す思想の集団である。国会議員は国民の選挙で選ばれた政治家である。安倍政権は国会議員によって選ばれた安倍首相によってつくれた行政府である。そのような政府を安保関連法案に反対だからといって倒す理由にはならない。民主・岡田代表はそんなシールズを高く評価して「新しい芽が出てきた。非常に注目している。お互い尊重しながら良い関係を築いていきたい」と述べ、安保法反対を旗印に今後も連携を続けていく考えを示したのである。そして、共産党とも連帯しようとした。

議会制民主主義のルールを破り、自民党と対抗できる政策をつくれないで自民党に単純反発し、シールズや共産党と手を組もうとする岡田・民進党は自民党と肩を並べることができる政党にはなれない。つまり政権党にはなれない。政権党になるには議会制民主主義に徹し、政

策で自民党と同じように国民に支持されるような政党にならなければならない。シールズや共産党・社民党・日教組・公務員を排除する政党でなければならない。そのような政党は民進党ではなく大阪維新の会である。

橋本徹氏が大阪府知事時代に２００８年「大阪の教育を考える府民討論会」を大阪府立大学で開いた時に、

「学校の先生は府民から選ばれたわけでもなんでもない。僕は失敗したら責任を取らなければならない。しかし、学校の先生は責任を取らずに、一生身分保障がある公務員の生活の中でぬくぬくとやっていける。

どこの会社で社長の方針に従わない部下がいますか。そんな部下がいたらみんなクビでしょ」

と述べている。大阪の政治は府民から選ばれる府知事と議員がやるべきであって、公務員である教師は政治をやるべきではないと断言しているのである。

橋本知事のやり方に反発する教職員も参加し、ヤジが飛んだ。しかし、橋本知事はひるまない。

「僕が考えている学力というのは子供たちがちゃんと社会に出て壁にぶつかった時に自分の頭で考えて、その壁を乗り越えられるだけの能力、これが絶対に必要なんです。絶対に必要なんです。

そのためには子供たちに分かる・できる・自分は分かるんだ自分はできるんだということを繰り返し、繰り返し積み重ねをして、子供たちにその体験をさせることがどうしても必要なんです。子供たちが途中で自分は分からない・自分ができないとなった途端に自分の将来に夢や希望は持てなくなります。大阪の子供たち、夢や希望を持っていない子供たちの率がとっても高いんです。大阪ものすごく高い。

やっぱりちゃんとね、子供達にはしんどいかもわからないけど、最初の基礎中の基礎の部分は積み重ねないといけない。これが小学校4年、５年、６年、中学になって学校に行きたくなくなる。

大阪の中学生、犯罪率一番高いんです。、ぼくは必ず学力から真正面に取り組んで今のこのような教育のね、こんな先生方、こういう状態にならないように、子供たちをこんな先生に任せてられないんですよ。僕は絶対任せてられない。９割は一生懸命になっている先生がいる。みんな疲れ切っている。だから、地域で過程で学校の先生を支えて、学校の運営の中に入っていってください。そして、１割のどうしようもない先生を排除してください」

その後の橋本氏は府知事、市長時代に教育改革を徹底してやっていった。

同じ２００８年に高校生とも激しい討論をする。財政再建のために私学助成金28億円の削減をしようとした時、これに反対する「大阪の高校生に笑顔をくださいの会」のメンバー12人が府庁を訪れ橋本知事と直談判をしたのである。そこでも橋本氏が選挙で選ばれた者が政治をやるのだという考えが出ている。


橋本知事の厳しい意見に泣き出した女子高生の、

「橋本知事は「子供が笑う大阪に」とおっしゃいましたが、私たちは苦しめられています。笑えません」。

そときつい発言にも橋本知事はひるむことはなかった。そして、女性徒は泣きながら、文章を読む。明らかに高教組の教師が書いた原稿である。

「大阪の財政をよくすることは私たちが苦しむことですか、ちゃんと税金を取っているなら教育、医療、福祉に使うべきです。アメリカ軍とかに使っている金の余裕があるんやったら、ちゃんとこっち(教育)に金を回すべきです」

との発言に橋本知事は、

「じゃああなたが政治家になってそういう活動をやってください」

と答える。突き放した言葉であるが、税金をどのように使うかは府議会で決めることであり、税金の使い方を決めたいのなら政策を主張して立候補して政治家になるしかない。


「それは私が政治家になってすることじゃないはずです。高速道路なんか正味あんなたくさん要らないと思います」

「それはあなたが判断しているだけ。私は必要な道路は必要だと思っている」

税金の無駄遣いがあると主張する生徒に一歩も引かない橋本知事。

「皆さんが完全に保護されるのは義務教育まで、高校になったら壁が始まっている。大学になったらもう定員。社会人になっても定員。先生だって定員をくぐり抜けてきている。それが世の中の仕組み」

「その世の中の仕組みがおかしいんじゃないですか」

「僕はおかしいと思わない。やっぱり16歳からはその壁にぶつかってぶつかって、もし、失敗しても」

「倒れた子はどうなるんですか」

「最後のところを救うのは生活保護制度がちゃんとある。今の日本は自己責任が原則、誰も救ってくれない」

「それがおかしいです」

「じゃあ、国を変えるか、自己責任を求められる日本から出て行くしかない」

橋本知事は生活の貧しい高校生に厳しい発言をしている。しかし、政治的主張があるなら政治家になって自分が政治改革をしなければならないという当然のことを言っている。議会制民主主義国家の日本では国民の支持を集めれば誰でも政治家になれる。橋本知事は当たり前のことを言っている。

世の中の仕組みがおかしいと思うなら自分で直さなければならない。府知事に要求しても府知事が納得しなければ実現できないのが現実である。

「大阪の教育を考える府民討論会」で教職員に言ったことや、「大阪の高校生に笑顔をくださいの会」で高校生に言ったことに共通していることは、政治を行うのは市民に選ばれた政治家がやるものであるということだ。橋本氏は府知事時代、市長時代にどんどん政治改革をやっていく

橋本氏の政治改革精神が大阪維新の会の精神である。シールズや共産党との連携をしようとする民進党より大阪維新の会のほうが自民党と政権を争う政党になれるだろう。

「大阪の教育を考える府民討論会」で教職員に言ったことや、「大阪の高校生に笑顔をくださいの会」で高校生に言ったことに共通していることは、政治を行うのは市民に選ばれた政治家がやるものであるということだ。橋本氏は府知事時代、市長時代にどんどん政治改革をやっていく。

○区長を一般応募。

○全市議８６人を対象に職員採用や人事異動を巡る口利き行為を禁じた。

○小中学生の学力向上のため、市立学校で土曜日にも授業を実施する。

○市立小中学校での全国学力テストの学校別結果を公表する。

○市役所内に入居する職員労組に事務所の退去を求める。

○民間並みに合わせるとの方針で市バス運転手の年収（平均７３９万円）を３８％減の約４６０万円、地下鉄運転士の年収（同７３４万円）を５％減の約７００万円とする給与カット。

○過剰診療などの不正請求対策として、生活保護受給者が受診する医療機関の登録制度を導入。

○ゼロベースの見直しを掲げ、凍結や暫定的な予算措置で５４５事業に待ったをかけた。

○平松邦夫・前市長が創設した領収書不要の交付金制度（４億３６００万円）は1年で廃止。新予算では、使途を明確にするため、地域行事や防犯活動など目的ごとの補助金に切り替えた。

○地域振興会と同様に役員が歴代市長の後援会幹部を務めた各区の社会福祉協議会への交付金（１６億８４２０万円）も凍結した」

○公務員制度を一変させる大阪府と大阪市の職員基本条例案は府市統合本部会議で、府市特別顧問の元中央官

僚らが大阪維新の会の案にほぼ沿った成案をまとめ、抵抗する役所側を押し切った。
○大阪維新の会（代表＝橋下徹・大阪市長）の教育基本条例案をテーマにした30日の府市統合本部では、松井一郎知事や橋下市長らが、府教育委員を押し切る形で、教育に関する大方針を次々と決めた。
○年収610万円未満の家庭に私立高校の授業料を無償とする。
○経済格差が教育格差につながるのは問題と指摘。経済的に厳しいために、学校以外の教育に投資できない家庭を救済するためにバウチャー」（クーポン券）を支給する。

橋本氏の政治改革精神が大阪維新の会の精神である。シールズや共産党との連携をしようとする民進党より大阪維新の会のほうが自民党と政権を争う政党になれるだろう。

「内なる民主主義9」

「大阪の教育を考える府民討論会」のニュース映像。ニュースは教員に偏っている。会場の市民は圧倒的に橋下氏を支持していた。

１１月１２日

尼崎市長選は維新の会ＶＳ自民党・立憲民主・共産党・公明党　奇妙な選挙戦である

兵庫県尼崎市長選（２０日投開票）に、日本維新の会公認社会福祉法人理事長の大原隼人氏（４４）と、現職から後継指名された前市教育長の松本真氏（４３）＝無所属＝が立候補を表明した。新人同士の一騎打ちとなる公算が大きいが、市長選は維新の会対保守・左翼の既成政党の戦いになりそうだ。

松本候補を自民、公明と立憲が支援している。それだけではない。なんと共産党も支援する。あり得ないことである。共産党は市長選には独自の候補を立ててきた。それが共産党イデオロギーである。ところが今回は擁立を見送ったのである。維新に勝たせたくないから立候補を出さないで実質的に松本候補の後押しに回る。共産党は維新は第二の自民党と決めつけている。維新に敵対意識が強い共産党が第一の自民党と一緒に一緒に第二の自民党の維新と対決するのは奇妙である。

実は共産党は自民党よりも維新の会のほうを敵視している。大阪で痛い目にあったからだ。共産党にとって自民党よりも維新の方が政敵なのだ。だから、維新の大原氏を落選させる目的で松本氏を応援する。

尼崎市長選は維新ＶＳ非維新になっている。戦後は自民党、社会党、共産党から始まった。社会党の分裂、自民党からの離脱など変動はあったが基本は旧三党が離合集散してきた。維新の会は旧三党とは違う新しい政党である。宝塚市長選は歴史的な視点からみれば旧来の政党と新しい政党の対決である。

尼崎は維新の牙城である大阪に隣接し、県内でも特に強いエリアである。市議会（定数４２）では８人を擁する第２勢力で、夏の参院選では市内比例票でトップの約５万２千票を得た。

維新が県内首長選に公認候補を出すのは尼崎市長選で５回目である。昨年の宝塚市長選では約１６００票差まで迫るも、他の３回はいずれも大敗した。大阪府外で初の公認首長を誕生させることができるか。

維新が勝利すれば旧来の保守・左翼共闘に新保守が勝つことになる。

11月14日

枝野幸男前代表の「消費減税の訴え間違っていた」を高く評価する

立憲民主党の枝野幸男前代表は消費税減税について『政治的に間違いだった』と発言した。

前衆院選で、枝野前代表は新型コロナウイルス禍への対応として「時限的に消費税を5％に減税する」ことを掲げていた。枝野氏はそのことを『政治的に間違いだった』と述べたのである。介護や子育てに支援をおこなうと言いつつ一方で減税を訴える姿勢について「有権者はどっちを目指すのかわからなくなる。有権者を混乱させた」ことを枝野氏は間違いの理由にしている。

枝野氏の発言について泉健太代表は氏『党内において、それぞれの議員が自分の考え方というのは当然、持っている』として、枝野さんの発言は立憲民主党としての見解ではないと述べた。SNSでは、《立憲が議席を減らした原因はそこじゃない》《枝野氏は何を言っているのだ?》《消費税減税は、票のためじゃない。》《公約を信じて枝野氏に投票した人たちには、裏切りにしか聞こえない》と批判が多い。

私は枝野氏の『政治的に間違いだった』と発言したことを高く評価する。枝野氏が本気で与党を目指している決意を表明しているからだ。

枝野氏がいうように消費税5％にして税収を少なくする一方で介護や子育てに税金を増やすことは矛盾している。野党であるから公約にすることができるが、与党になった時に実現するのは不可能である。与党になったら公約を放棄しなければならない。そんな政党を国民が支持することはない。本気で与党を目指すなら実現可能な政策で自民党と闘うべきである。

『政治的に間違いだった』の自己批判は立憲民主全体に必要なことである。

旧統一教会の霊感商法、自民党議員との関係は国民生活とは関係がない。国民はスキャンダルとして興味があるだけである。本気で与党を目指すなら、旧統一教会問題で自民党攻撃に埋没しないことだ。

国民生活を自由に、豊かにする政策を追及することが与党になる前提である。維新の会は政策で自民党と競う政党である。維新との共闘をきっかけに立憲民主も政策で競う政党になるべきだ。

枝野幸男氏の「消費減税の訴え間違っていた」自己批判は与党を目指していることの決意として高く評価する。

12月7日

立憲民主が改憲国民投票に賛成するか否か　賛なら二大政党へ　非なら自民党与党続行

立憲民主党は憲法改正に関する見解の中間報告の取りまとめを先送りした。自民、公明、日本維新の会、国民民主は改憲に前向きであり、「改憲4党」で国会の3分の2を超すから国民投票は確実に実現する。国民投票で憲法九条は改正され、自衛隊が軍隊になるだろう。憲法改正は確実である。

問題は二大政党になれるかどうかである。二大政党になるには維新の会、国民民主に加えて立憲民主が参加しなければ実現しない。維新と国民は共闘に問題はない。しかし、立憲が共闘するにはクリアされていない問題がある。立憲は共闘に賛成する派と反対する派に2分しているからだ。それは憲法改正賛成派と反対派に重なっている。憲法改正賛成派は共闘に賛成である。反対派は共闘に反対である。

憲法改正反対、維新の会との共闘反対派は旧社会党系の左派である。左派の支持母体は日教組と自治労である。維新の会と日教組は大阪で敵対関係にある。原因は橋下知事時代に始めた教育改革にある。維新の会は教育改革によって日教組の学校での主導権を次々と奪っていった。それは現在も続いている。

２０１１年。当時の橋下知事が、、教育委員会と激論の末に推し進めたのが維新の「教育改革」である。橋下徹大阪府知事（当時）は、:

「経営者のためになるような制度設計じゃなくて、保護者のためになるような制度設計にしてほしい。公立も私立も同じようにですね、だめなところは申し訳ないけれども、退場していただく」と主張して教育改革を推進した。

改革の一つに3年連続で定員割れした改善の見込みのない府立高校を「閉校」、いわゆる「廃校」の検討対象にする「条例」を制定した。

教育委員会は再編整備計画に基づき統廃合を進め、１０年間で府立高校（旧大阪市立高校含む）１７校を廃校にした。今年は、４年連続定員割れとなっている大阪市の平野高校、東大阪市のかわち野高校、堺市の美原高校の府立高校3校の入学者の募集を２０２４年度で停止することを教育委員会会議で決定した。

維新の会の教育改革は自民党にはできないことである。自民党ができない改革を維新の会はやっているのである。自民党と互角以上に政策を競えるのが維新の会である。

維新の会が進めている統廃合政策に反対しているのが日教組である。廃校が増えるということは教職員の職が減る。そして、教職員の政治力が弱体化していく。それを嫌った教職員団体は統廃合政策に反対する運動を展開している。三校の廃校に「待った」をし 約1万人分の反対署名を集めた。大阪は府も市も維新の会が与党である。維新の会が与党であるということは統廃合政策を府民が支持しているということである。

憲法改正反対、維新の教育改革反対が日教組である。日教組が支持母体となっているのが立憲左派である。だから、立憲左派は憲法改正に反対であり、維新の会との共闘にも反対である。

泉健太代表は保守系である。左派ではない。保守の泉代表は維新の会との共闘に前向きである。１０月の講演で「維新は改憲政党ではあるが、そんなに差がないと思っている」と発言している。

泉代表は国民投票にも前向きである。泉代表は維新が主張する9条改正を憲法審で議論することを容認し、秋波を送っている。左派が与党を目指すなら維新との共闘を望み、国民投票に賛成する方向に進むだろう。自衛隊の軍隊化に反対しながらも国民投票を容認することはできるからだ。国民投票で自衛隊を軍隊と認めたら立憲左派は軍隊として認めなければならなくなる。そうなれば立憲、維新、国民の共闘が実現し二大政党への道が開かれる。

立憲の維新との共闘を恐れているのが共産党である。共産党の志位和夫委員長はツイッターで、「憲法をめぐって維新と協力の余地ありと考えているとしたら、とんでもない考え違い」と激しく反発している。共産党は憲法改正に反対である。国民投票を実施すれば国民の多数決で自衛隊は軍隊として決まるのは確実である。自衛隊の軍隊化に徹底して反対している共産党であるから国民投票に反対している。立憲が維新と共闘すれば立憲も自衛隊の軍隊化を容認するだろう。共産党としては立憲が維新と共闘するのは絶対反対である。しかし、共産党とは距離を取っている泉代表である。共産党からは離れ維新と接近していくのが立憲だろう。共産党は孤立していく。

岸田政権は国民投票への段取りを決め、確実に国民投票を実現しなければならない。岸田政権の政治には期待しないが国民投票は実現してほしい。

立憲民主が国民投票に賛成するか否か 賛なら二大政党へ 非なら自民党与党続行になるだろう。しかし、憲法改正されれば確実に二大政党へ進む。

1月14日

岸田内閣2か月で4人閣僚が辞任でも安泰　バラバラ野党のおかげ

岸田首相が任命した閣僚が2カ月で4人も辞任した。たった2カ月で4人の大臣が辞任に追い込まれたのは岸田政権の危機である。

2202年12月27日　秋葉賢也復興相
家賃支払いなどの形で親族に政治資金を還流させた疑惑や、秘書が前回衆院選で選挙運動の報酬を受け取っていた疑いが指摘された

2022年11月20日　寺田稔総務相
妻が代表を務める政治団体の脱税の可能性や資産等報告書で1250万円の貸付金が不記載・訂正を届け出。後援会の政治資金収支報告書に記載された会計責任者が故人だったなど、政治資金問題が相次いで発覚

2022年11月11日　葉梨康弘法務相
自民党衆院議員のパーティーで「法相は死刑のはんこを押す時だけニュースになる地味な役職」と発言。過去にも同様の発言をしていたことが発覚

2022年10月24日　山際大志郎経済再生担当相
世界平和統一家庭連合（旧統一教会）の関連団体会合への出席など、同教団との接点が相次いで発覚。教団の韓鶴子総裁との接触も認めた

わずか2カ月で4人の閣僚を事実上の更迭する異常事態である。岸田総理の責任は厳しく問われ、内閣崩壊になってもおかしくないはずなのに・・・・。立憲民主党の泉代表は「岸田政権はもう崩壊状態で、辞任の決定は遅い」と厳しく批判したが、岸田内閣には全然響かない。原因は野党はバラバラであり、結束していないからだ。今の野党が自民党を倒して政権を握ることは不可能である。だから、自民党は安泰であり、岸田内閣も崩壊する心配はない。のんびりとスケジュールをこなす政権であればいい。

国民民主は立憲と維新との「共闘」参加を見送った。立憲民主は保守と左翼が対立している。安保政策、憲法改正、台湾有事しまとめることができない。バラバラである。野党は全部でも過半数に全然足りない上に、バラバラである。野党がまとまって与党になるのは夢のまた夢である。

4人の閣僚が辞任し、へたくそな政治で国民の支持率が低くても、野党のお陰で岸田政権は安泰である。

沖縄
沖縄
沖縄

11月26日

辺野古移設反対のデニー知事が大勝したのに、市長選は移設反対が7選全敗した　それが沖縄

6月11日に行われた沖縄県知事選挙開票の結果
玉城デニー、無所属・現。当選。33万9767票
佐喜真淳、無所属・新。27万4844票
下地幹郎、無所属・新。5万3677票

辺野古移設反対を選挙公約にしたオール沖縄のデニー知事の大勝である。

今年は知事選だけでなく7つの市長選も行われた。県知事選に圧勝したデニー知事は、辺野古移設反対を公約したオール沖縄の市長候補者応援した。市長候補が圧勝したデニー知事と同じオール沖縄であり辺野古移設反対を公約しているなら市長選はデニー知事が応援した候補者が当選するはずである。ところがそうではなかった。なんと、デニー知事が応援したオール沖縄の候補者が全員落選したのである。知事選でも負けていた普天間飛行場のある宜野湾市と移設予定の名護市以外の5市では全勝するかもしれない勢いがあったはずなのに蓋を開けてみれば全敗したのである。全敗するのは考えられないことである。しかし、7線全敗した。知事選で大勝し県民支持が圧倒的であるデニー知事が応援した市長候補が全敗したのである。なぜ、全敗したのか。そのことを的確に説明したマスメディアはない。全敗した事実を報道するだけである。説明できないのだろう。

デニー知事は辺野古移設反対である。デニー知事が大勝したので沖縄県の民意は辺野古移設反対であるとマスメディアは報道した。多くの専門家も民意は辺野古移設反対と判断していた。ところが市長選では移設反対を選挙公約にしたオール沖縄の候補者が全員落選した。市長選からみれば民意は移設反対ではないことになる。すると田原氏のような移設反対派のジャーナリトは、当選した市長は移設賛成ではないと言うようになった。確かに移設賛成を公約にした市長はいない。はっきりしているのは反対ではないということである。なぜ、県知事選では移設反対のデニー知事が大勝したのに市長選では移設反対が全敗したのか。県民の本心はどこにあるのか。という疑問が出てくる。この疑問を解いた専門家はまだ居ない。恐らく解けないだろう。

辺野古移設反対で結集したオール沖縄の知事選は圧勝し、7市長選は全敗した。これは市民の選挙の結果であ

る。つまり県民の選択であり、民意だ。
移設反対派の知事選圧勝と市長選全敗が沖縄の現実であるのだから、この事実を認めて、原因を解き明かすことが必要である。しかし、まだ解き明かしていない。解き明かすことができないのだろう。ということはジャーナリストや専門家は沖縄の本当のことを理解していないということになる。

マスメディアはデニー知事の勝利を根拠に民意は移設反対である決めつけている。県の民意は知事選にありということだ。しかし、市民は県民でもある。市長選の結果は県民の民意ではないとは言えない。移設反対派が７市長選を全敗したことは県の民意が移設反対ということに疑問を生じさせる。

知事選の民意は移設反対であるが市長選の民意は移設反対ではないことは確かである。移設反対ではないということは賛成ということになる。積極的な賛成もあれば消極的な賛成もあるだろう。また、賛成でもないが反対でもないという市民もいるだろう。はっきりしているのは移設反対ではないということである。これはまぎれもない事実である。
県知事選では移設反対が勝利し、市長選では敗北したのには理由があるし、解明されなければならない。解明することによって沖縄県民の本当の民意が分かる。解明の役目は選挙専門のジャーナリストがやらなければならない。しかし、今までジャーナリストは解明していない。田原総一朗氏のように辺野古移設反対のオール沖縄に勝った市長も辺野古移設には賛成ではないといい、デニー知事が勝利したから民意は移設反対だろうと問題をぼかしているだけである。解明したジャーナリストは居ない。それが事実である。

なぜ、移設反対のデニー知事が圧勝したのに市長選では移設反対が全敗したのか。この事実を解明しないと県民の本当の民意は不明である。市長選を見れば民意は移設反対であるとは断言できないのが沖縄の真実である。
移設反対のデニー知事が圧勝したのに市長選では移設反対派が全敗したことを解明していく。沖縄県民の民意を明らかにしていく。

デニー知事はなぜ大勝したか

デニー知事はタレント出身である。３０歳のときにタレントとして独立したデニー氏は琉球放送ラジオ（現在のＲＢＣラジオ）の人気番組「ふれ愛パレット」のパーソナリティや、１９９８年７月にスタートした沖縄市エフエムコミュニティ放送の「ＯＫＩＮＡＷＡミュージック・タペストリー」の総合プロデュースとパーソナリテイ」、イベントの司会などを務めた。ラジオではウチナー語を駆使し、高齢者から絶大な支持を受けた。

デニー氏の人気は高く。人気に注目した知人が沖縄市長選に出馬をすすめた。市長選には出馬しなかったが、市議会議員選挙に出馬しトップ当選した。トップ当選したのはタレントとしての人気である。

２００９年に沖縄３区から民主党公認で立候補した時は自民党前職の嘉数知賢を破り、初当選した。

２０１４年の第４７回衆議院議員総選挙では、翁長雄志沖縄県知事が推薦する「オール沖縄」の候補として生活の党公認で沖縄３区から立候補し当選した。

２０１８年に、故翁長雄志知事の後継としてオール沖縄から知事選に出馬し大勝した。２０２２年の知事選も大勝した。

デニー知事が大勝した原因はなにか。

デニー知事は衆議院議員であった。県民の支持は高かった。国会議員であったデニー氏が故翁長前知事の後継者として県知事選に立候補したのだ。保守の故翁長知事が左翼と共闘するオール沖縄を結成した時に「イデオロギーより沖縄アイデンティティー」を売り物にした。翁長氏の「アイデンティティー」は県民の心を掴み、２０１４年の知事選に大勝した。翁長氏の「アイデンティティー」の後継者となったデニー氏だったから２０１８年の知事選に大勝した。そして、２期目の２０２２年の知事選でも大勝した。

デニー知事の本名は玉城康裕（たまきやすひろ）である。普通は選挙に立候補する時は本名を使うだろう。しかし、デニー知事はタレント芸名のデニーを使った。デニーで有名になっていたし、デニーのほうがハーフであることで注目されやすい。デニーと知った瞬間に母子だけの貧しい生活を送っただろう。子供の頃はいじめられて苦労しただろうと沖縄県民は想像する。

もし、デニー氏の母が結婚していたら父親と一緒にアメリカに行っている。沖縄にはいなかっただろう。結婚しなかったから母子だけの家庭だった。私の周囲にもハーフは居た。

二軒隣の家にアメリカ人と結婚している女性がいた。一カ月に一度は親子４人で実家に来ていた。長女は私と同じ年齢だった。私たちは姉弟と遊んだ。その家族は米国に去った。

同級生にジョージという少年つがいた。とても小さな家に母、姉、ジョージの３人が住んでいた。ジョージは金髪でハーフだったが姉は髪が黒く沖縄人だった。彼は今も沖縄に住んでいる。

祖父母が育てているハーフがいた。名はベッキーといった。ベッキーはよく虐められていた。ベッキーは祖父の家から居なくなった。祖父はベッキーはアメリカの父親の元に行ったといった。しかし、嘘だった。アメリカではなくコザの親戚の家に移ったというのが本当らしい。ハーフという逆行の生活から這い上がって国会議員、知事になったということは素晴らしいことである。多くの県民がデニー知事を応援し投票しただろう。デニー知事自身の人気と沖縄アイデンティティーの故翁長知事の後継者であることを多くの県民は支持し投票した。だから、知事選で圧勝したのである。辺野古移設反対の公約がデニー知事を圧勝させたと思うのは間違いである。間違いであることを証明したのが市長選7連敗なのだ。

辺野古移設反対の公約がデニー知事を大勝させていたのなら市長選でも勝っていたはずである。しかし、全敗した。知事選と市長選では支持層に決定的な違いがあった。知事選は初期の頃のオール沖縄のアイデンティティーがあり、保守+左翼がデニー知事に投票した。しかし、市長選ではアイデンティティーは破綻し、保守対左翼の対決になった。保守対左翼の選挙で保守が7連勝したのである。

デニー知事とオール沖縄の市長候補は同じ辺野古移設反対を掲げたのにデニー知事は大勝し、市長選は7連敗したと考えるのは間違いである。そのような考えでは知事選と市長選の結果を正確に分析することはできない。

辺野古移設反対を理由にデニー知事に投票したのは市長選で7連敗した左翼に投票した市民である。辺野古移設反対がデニー知事を大勝させたのではない。市長選7連敗させた市民と勝利させた市民がデニー知事に投票したから大勝したのである。

市長戦でのオール沖縄推薦の立候補者はデニー知事とは違った。デニー知事は保守も支持するアイデンティティー政治家である。しかし、市長選の立候補者は左翼系の立候補者である。

知事選は自民党VS保守+左翼の選挙戦であったが、市長選は保守VS左翼の選挙戦になったのである。復帰50年で明らかになっているのは左翼の衰退である。オール沖縄は故翁長知事によって保守と左翼が合流した。合流したからといって左翼の勢力が拡大したのではない。左翼の衰退はオール沖縄でも進んでいた。そのことが豊見城市長選で判明した。豊見城市長選挙でオール沖縄は現職の市長を擁していた。ところが現職の市長が自民党推薦の新人に敗北したのである。左翼衰退が豊見城市長選で明らかになった。

普天間飛行場の辺野古移設を新基地建設とうそぶき、辺野古移設反対に固執する左翼への支持は減り続け、保守支持が増え続けているのが沖縄である。

12月3日

宜野湾市、名護市の民意を踏みにじるデニー知事に「自治権を守る」と主張する資格はない

普天間飛行場のある宜野湾市と移設先の名護市は市長、と議会は移設容認である。両市の民意は辺野古移設容認に対して玉城デニー知事は移設反対である。宜野湾市、名護市が辺野古移設容認だ。

辺野古移設を阻止するために国が申請した軟弱地盤改良工事を不承認した。県の不承認に対して国は訴訟を起こし裁判が始まった。デニー知事はこの裁判を「地方の自治権を守り抜く戦い」であると主張している。

辺野古移設問題は宜野湾市と名護市の問題であり、両市の方が地方である。県庁は沖縄県の中央であって地方ではない。地方は市町村である。

デニー知事は「地方の自治権を守り抜く戦い」と言いながら地方の宜野湾市、名護市の民意を踏みにじっている。地方の自治権を守っていないことを自覚できないデニー知事である。

普天間飛行場の辺野古移設は国対沖縄ではない。国対沖縄対宜野湾市対名護市である。4社の合意あって初めて辺野古移設ができるのである。4者の合意はすでに終わっている。県は仲井真知事の時に合意した。4者の合意があったから政府は辺野古移設工事を始めたのだ。

日本は法治国家である。中央政府であっても法律を遵守しなければならない。戦後の日本は地方自治権を保証している。だから、辺野古移設する時には移設の許可を名護市長、埋め立ての許可を県知事から得なければならなかった。許可したことを一方的に破棄することもできない。それが日本の法律である。

デニー知事は一方的に許可を破棄する行為に出た。埋め立て設計変更の不承認である。国はデニー知事に法律を守らせるために訴訟を起こした。

違法行為を「地方の自治権を守る」と美化しているのがデニー知事である。法治主義によって守られている沖縄の自治権をデニー知事は破ろうしているのである。政治のトップである知事が法律を破る政治を堂々とやる。それが沖縄である。

法治国家の日本で違法行為が勝つことはない。デニー知事は勝てないことを知りながら違法行為をしている。県民を騙して味方にするためである。

新基地建設、新基地はミサイル攻撃される、海が汚染される、サンゴが死滅する、ジュゴン、魚が棲めなくなる、遺骨の混じった土が埋め立てに使われる・・・辺野古移設反対派の嘘が蔓延している沖縄である。

１２月２日

デニー知事は普天間飛行場の固定化を目指している　米軍は歓迎だ

玉城デニー知事は名護市辺野古の新基地建設阻止に向けて国を相手に法廷闘争を展開している。

デニー知事は辺野古の軟弱地盤の改良で移設の完了が大幅に遅れることを指摘し、「普天間飛行場の早期の危険性除去という極めて重要な要件を満たさない」として、埋め立て工事を阻止し、辺野古移設を中止させようとしている。デニー知事によって辺野古移設が中止になれば普天間飛行場はどうなるか。

自民党政府、民主党政府の時代に県外移設をやろうとしたが普天間飛行場を受け入れる都道府県はひとつもなかった。唯一名護市が受け入れたから政府は辺野古移設を推進してきた。政府にとって辺野古移設ができなかったら普天間飛行場の移設をあきらめるしかない。つまり、普天間固定化になってしまう。政府は普天間固定化させないために辺野古移設を実現させようとしている。

デニー知事は辺野古移設阻止に全力を注ぎ、法廷闘争を展開している。デニー知事が法廷闘争に勝ち、辺野古移設が中止になった時、デニー知事は普天間飛行場をどのようにするつもりなのか。

故翁長知事は県外移設を主張していた。自民、民主両政府が実現できなかった県外移設であったから、県外移設を実現するには故翁長知事が県外移設対策班を県庁に設立して、本土の自治体と直接交渉して、普天間飛行場を受け入れてくれる自治体を見つける以外にはなかった。しかし、翁長知事は県外移設班を設立しなかったし、本土の自治体と交渉したことは一度もなかった。普天間飛行場の辺野古以外の移設場所を探す努力をしなかったのが翁長知事である。

翁長知事の後継者となった玉城デニー知事はどうか。翁長知事と同じく辺野古移設反対に徹している。移設を阻止するために法廷闘争を展開している。しかし、普天間飛行場の移設についてはなにも言わない。知事になった時は県外移設を主張することはあったが、それはいつの間にか言わなくなった。デニー知事が政府に求めているのは辺野古移設工事を中止してデニー知事と協議をすることである。なにを協議するのか、デニー知事は協議することを政府に求めているだけである。普天間飛行場の移設先は提案していない。

辺野古以外の普天間飛行場移設先を真剣に検討しなければならないのは政府ではない。デニー知事である。ところが普天間飛行場の辺野古以外の移設先を全然検討していないデニー知事である。今のデニー知事が目指しているのは普天間飛行場の固定化であると言わなければならない。
デニー知事の目指しているのは辺野古移設阻止＝普天間飛行場の固定化である。デニー知事のこれまでの主張と実行を見ればこのように判断するのは当然である。

実は、普天間飛行場の固定を米軍は望んでいる。辺野古移設は政治上の問題であって、軍事的には辺野古より普天間がいいのである。辺野古は海に面している。風が強い時には波や塩害の被害を受ける。離着陸にも悪影響がある。辺野古に比べて普天間飛行場は高台にあり海の影響を全然受けない。飛行場としては辺野古より普天間の方が適しているのだ。だから、米軍は普天間飛行場が固定するのを喜ぶ。

デニー知事のやっている辺野古移設阻止は普天間飛行場を固定化させ、米軍を喜ばす政治である。このことを問題にし、徹底してしてデニー知事を追い詰めとほしいが、自民党はやらない。いや、できない。

12月2日

辺野古新基地建設反対が米軍基地撤去運動を衰退させていることを知っているか

私は嘉手納飛行場の近くに住んでいる。嘉手納飛行場は米軍基地の象徴的な存在である。象徴的な嘉手納飛行場に集まりこぶしを高く掲げて「米軍基地撤去」を叫ぶのが反米基地運動だった。毎年嘉手納飛行場に集まりデモをやっていた。しかし、最近は嘉手納飛行場に基地反対派が集まることはない。嘉手納飛行場の金網越しに「米軍基地撤去」を叫ぶこともない。いつの間にか嘉手納飛行場が静かになっている。その原因は辺野古である。

現在の反米軍基地運動は辺野古の新基地建設阻止が中心になっている。だから、「新基地建設反対」をシュプレイコールする。「米軍基地撤去」は言わなくなった。それどころか「米軍基地撤去」を主張もしなくなった。主張しなくなったのは普天飛行場が辺野古移設に決まったことが原因である。

昔は普天間飛行場撤去を主張していた。辺野古移設は普天間飛行場撤去を実現する。辺野古と普天間を比べると普天間より辺野古の方に移設したほうがいいと思う市民が増える。そのことを気にして次第に普天間飛行場撤去の声が小さくなっていった。
辺野古移設反対派は辺野古移設反対とは言わないで「辺野古新基地建設反対」と言うようになった。辺野古に新しい米軍基地を建設することに反対であるというイメージをつくっていった。新基地建設を強調したために現存する米軍基地の撤去を主張しなくなったのである。辺野古移設反対運動は反基地運動を衰退させている。

国土面積のおよそ０.６パーセントに過ぎない沖縄に、在日アメリカ軍の専用施設のおよそ７０パーセントが集中していることを問題にするが、それが「米軍基地撤去せよ」にはならない。米軍基地を日本全体で負担することを主張するようになった。復帰前から主張し続けてきた米軍基地の国外撤去が崩れてきているのだ。

キャンプ・シュワブの座り込みは米軍基地撤去を主張していない。辺野古に「新基地」建設することを反対している。
キャンプ・シュワブに向かってこぶしを突き上げるがキャンプ・シュワブ撤去を主張しているのではない。「辺野古新基地建設反対」を主張している。ということはキャンプ・シュワブは容認しているということだ。米軍基地撤去運動が盛んな時代では考えられないことである。

本来の基地撤去運動なら「辺野古移設反対・普天間飛行場撤去」である。

今は、辺野古新基地建設反対・沖縄の米軍基地を本土に移設である。普天間飛行場については撤去も移設も言わなくなった。
米軍基地撤去運動は衰退している。

12月4日

オール沖縄の左翼が分裂していることを知っているか

普天間飛行場の辺野古移設に反対し、埋め立てを阻止するための座り込み闘争をしているのがキャンプ・シュワブである。座り込みを始めてからの日数を看板に書いている。すでに3000日が過ぎた。

キャンプ・シュワブが辺野古移設反対派の活動の場となっているが、反対運動の場はここだけではない。もう一か所ある。その場所は本部の塩川港である。

キャンプ・シュワブは土砂を運ぶトラックがシュワブに入るのを阻止する運動である。塩川港では安和桟橋で土砂をトラックから船に搬出するのを止める運動である。辺野古埋め立てを阻止する運動はキャンプ・シュワブと本部町塩川の二か所で展開している。

二か所で埋め立て阻止運動をしているのはオール沖縄が分担していると思うのが普通である。しかし、間違いである。シュワブは社民党系が阻止運動をやり、塩川港は共産党が阻止運動をやっている。シュワブに共産党員が参加することはない。県民大会などの大きな大会に限ってシュワブに参加している。

シュワブで運動を展開しているのが沖縄平和運動センターである。リーダーは山城博治であった。彼は過激な行動を繰り返した。写真は進入禁止のイエローラインを超えたので機動隊に逮捕される寸前の写真である。

<img
src="https://blogimg.goo.ne.jp/user_image/22/1e/8c1868389aaccff69423b720c75a2b98.jpg">

沖縄平和運動センターの議長が山城氏から次の4人の共同代表に代わった。自治労兼本部副執行委員長の中曽根哲史（57）、社民党県連の上里善清県議（63）、社

大党の比嘉京子県議（70）、県教職員組合（沖教組）の上原邦夫中央執行委員長（59）。代表が属している団体員が中心となってシュワブで座り込み運動を展開している。

若い時に原水禁大会が二つあることに気づき、不思議に思った。ひとつにしたほうが規模は大きくなる。一つにした方がいいはずなのになぜ二つにするのか。調べると社会党系と共産党系に分かれていることが分かった。

ウィキペティアの説明

年に1回、広島市と長崎市に原子爆弾投下のあった8月に「原水爆禁止世界大会」を開催するほか、各地で「核兵器廃絶」を掲げた運動を展開する。元々は、保革広範な運動体であったが、1960年（昭和35年）に日米安保反対の方針を打ち出したことにより、まず自民党系・民社党系が離脱し保守派は姿を消した。ついで1965年（昭和40年）には日本共産党派が当時友好関係にあったソビエト連邦と中華人民共和国による核兵器保有を擁護する立場をとったことから、日本社会党系がそれに反発して離脱・脱退して別団体の原水爆禁止日本国民会議（原水禁）を創設した。ただし分裂後に日本共産党は中ソ共産党と関係を悪化させたため、分裂時に批判していた核兵器全面禁止主張に原水協も変化した一方、逆に社会党系の原水禁は、日本社会党が反米・親ソ・親中・親北朝鮮の傾向を強めたため、その影響によって、中ソの核保有に擁護的になった。分裂以降の原水協は、このように日本共産党と中ソの関係悪化で中ソ核兵器容認から、現行の核兵器全面禁止に方針転換し、役員も日本共産党員が占める組織となり現在に至る。

ウィキペティア

原水爆禁止大会は政党のイデオロギーの垣根を超えて、故翁長知事が言ったアイデンティティーで一つになって開催するべきである。ところが社会党と共産党はイデオロギーを優先させて分裂したのである。二つの原水禁大会がある原因を知った時、議会制民主主義の日本で社会党と共産党は与党になれないと思った。

現在も一つになれない状態である。だからシュワブと本部町塩川に分かれて埋め立て阻止運動をしているのだ。両政党はイデオロギーに固執していて法治主義よりもイデオロギーを優先させている。だから、辺野古移設を阻止することができない現実であるのに移設反対をやり、しかも分裂して阻止運動を展開している。無駄なあがきをしているだけである。

オール沖縄は左翼と対立した保守が離脱しただけでなく、残った左翼は分裂しているのである。それも根が深い分裂である。このことを知らない人は多いだろう。

１２月５日

昨日書いた本部町塩川の辺野古移設反対運動が新報の記事になった

昨日のブログ「オール沖縄の左翼が分裂していることを知っているか」で辺野古移設反対運動がキャンプ・シュワブと本部町塩川の２カ所で行われていると書いた。今日の琉球新聞に塩川のことが掲載されている。「辺野古新基地抗議の市民を県職員が移動促す　沖縄県『安全のため』　１１月の塩川デイ」である。

【辺野古問題取材班】本部港塩川地区で行われた名護市辺野古への新基地建設に対する抗議行動「塩川デイ」で、県北部土木事務所の職員が「速やかに移動してください」などと市民に促したことが分かった。抗議市民らは１１月２９日、名護市の同事務所を訪れて「抗議行動への妨害になる」と指摘し説明を求めた。同事務所は抗議行動を妨害する意図はないとして「安全確保のための声かけだ」と主張した。

塩川は新基地建設のため、海上からの土砂搬出の拠点となっており、市民らは土砂などを積んだ大型車両の前をゆっくり歩く抗議行動を展開している。塩川デイは１１月２１、２２の両日に開催され、通常より多くの市民の参加が見込まれたことから、同事務所職員が２１日に６人、２２日に４人派遣されたという。市民らは県警の機動隊などから制止されることはあったが「県職員が抗議行動に割って入ったのを見たことがない」と指摘。「なぜ安全確保を市民側ばかりに求めるのか」と訴えた。新基地建設に反対する、県の立場との相違を指摘する声も上がった。

同事務所は「これまでも安全のため声かけはしてきた」と説明し「今後も安全対策を考えながら対応していきたい」などとしている。

（長嶺晃太朗）

私はこのことを３日前に知っていた。ブログ「チョイさんの沖縄日記」を見たからだ。ブログにはチョイさんと名乗る北上田毅氏が本部町島ぐるみ会議のメンバーと一緒に沖縄県北部土木事務所に行って交渉に参加したことを書いている。

北上田氏のブログを見れば塩川の反対運動のことが詳しく分かる。彼はシュワブのことはほとんど書かない。塩川のことを写真つきで詳しく説明している。

北上田氏は京都大学卒で土木が専門である。辺野古の軟弱地盤を埋め立てる技術が日本にはないこと、埋め立てるには１０数年かかることを専門的に説明したのが北上田氏であった。彼の理論をそっくり取り入れたのが県庁であった。北上田氏の理論を根拠にデニー知事は辺野古埋め立てに反対している。

12月8日

法を順守しなければならないデニー県知事が辺野古移設を阻止することはできない

最高裁第1小法廷（山口厚裁判長）は8日、県側の上告を棄却する判決を言い渡した。今回の裁判所の裁決は「訴えを起こす資格がない」というものである。裁判をする価値もないということである。一審、二審でも訴訟する価値がないとの判決を下した。それなのに最高裁に上告したのである。県は一審の判決を受け入れて高裁への控訴を止めるべきであった。

訴訟を起こす価値がないと裁判所に言われたのは裁判の基本を知らないと言われたのに等しい。法律に無知なデニー知事は県民の恥である。法律の基礎を教えてくれる県の幹部は一人もいないのだろうか。

デニー知事は最高裁に訴えを起こす資格がないと判決されたことに怒った。

「地方自治体と国が上級・下級の関係にあると言わんばかりの判断だ」と言い放ったのである。この発言はデニー知事が日本の三権分立に無知であることを吐露したに等しい。

日本は立法、行政、司法の三権分立の国である。三権はそれぞれに独立していて支配されることはない。地方自治体と国の関係は政治の関係であり司法の問題とは関係がないことである。司法は立法機関の国会が定めた法律に沿って判決を下すだけである。裁判所は政治を論争する場ではない。法律に遵守しているか否かを論争する場である。それなのに政治を争う問題を裁判に持ち込もうしたのが県である。だから裁判所は訴訟を起こす価値がないと判決したのである。裁判所は国が上級、地方自治体が下級と判断していない。上下級と決めつけるデニー知事は裁判を侮辱しているし三権分立を侮辱している。

県知事は法を順守する義務があるし法にがんじがらめにされている。三権分立を破ることはデニー知事にはではない。違法な訴訟をすれば裁判で負けるだけだ。辺野古移設工事に難癖をつけて裁判をしても待っているのは敗北である。辺野古移設は着実に進む。

法に則って進めている辺野古移設をデニー知事が阻止することはできない。なぜなら法にがんじがらめにされているのが県知事なのだから。

12月9日

タイムスが県敗訴に反発　反基地イデオロギーで地方自治を曲げる

沖縄タイムスが、名護市辺野古の新基地建設を巡る「抗告訴訟」で、最高裁が沖縄県側の上告を棄却したことに怒りの批判をした。玉城デニー知事の「国と地方自治体が上下関係にあると言わんばかりの判断だ」を支持しているタイムスである。タイムスは今回の判決を「地方自治法に基づく自治権を狭く解釈し、地方分権改革の成果を国の都合のいいように骨抜きにした判決」と述べている。デニー知事とタイムスに共通するのは反米軍・反自衛隊イデオロギーである。

タイムスは裁判になった経過を次のように説明している。

県は2013年、当時の仲井真弘多知事が辺野古沿岸部の埋め立て工事を承認したが、その後、マヨネーズ並みといわれる軟弱地盤などが見つかり18年に承認を撤回した。沖縄防衛局の審査請求により、国土交通相が承認撤回を取り消したため、県が裁決は違法だとし取り消しを求めていた裁判だ。

タイムスの説明を見れば最高裁の判決が当然であることが分かる。

仲井真知事が埋め立て工事を承認したのである。埋立は国と県の合意である。国が一方的に埋め立てを決めて仲井真知事に強制したのではない。埋立てを承認するか否かは仲井真知事の自由である。埋立てを断ることもできた。仲井間知事は名護市長が辺野古移設に合意したので埋め立てを承認したのである。埋立ては国と県が合意したことである。一方的に県が埋め立て承認を破棄することはできるはずがない。

自然を相手にした埋め立てである。予期していなかったことが起こるのはあり得ることである。もし、埋め立てができなければ国の方が埋め立てを断念する。しかし、埋め立てることができるのであれば続行する。仲井間知事が承認したのは埋め立てである。県が一方的に埋め立ての合意を破棄することはできない。

ところが県は軟弱地盤が見つかったことを根拠に埋め立て承認を撤回した。軟弱地盤が原因で埋め立てができなかったら国が埋め立てを断念する。しかし、国は埋め立てができる確信があるから軟弱地盤の埋め立て計画を県に申請した。ところが県は軟弱地盤のために飛行場建設が大幅に遅れることを根拠に埋め立て承認を撤回したのである。県が一方的に埋め立てを撤回するのはできない。

裁判になった経過のタイムス説明を読めば県の敗北は当然であることが分かる。

タイムスは「地方自治法に基づく自治権を狭く解釈し、地方分権改革の成果を国の都合のいいように骨抜きにした判決と言わざるを得ない」と述べている。沖縄県は国から見れば地方である。しかし、県内の市町村から見れば県は中央であり市町村が地方である。

タイムスは地方自治体を県だとしているが本当の地方自治体は市町村である。県は市町村の自治権を守るべき立場にある。辺野古移設に直接関係するのは浦添市と名護市である。両市は辺野古移設を容認している。デニー知事が浦添市、名護市の地方自治権を重視するなら辺野古移設を容認するべきである。埋立て承認を撤回するべきではない。ところが県は埋め立て承認を撤回した。県の承認撤回は浦添市、名護市の地方自治権を中央の県が破棄したことになる。県の地方自治否定である。タイムスは中央の県の独裁を支持していることになる。

タイムスは司法のありかたを、「国の行政権の行使をチェックし、国民の権利や地方自治体の自治権を守る」と述べている。それは違う。司法は国会で決めた法律を守らせるのが役目であって自治権を守る役目はない。司法に地方自治体の自治権を守らせるのであれば司法が行政に介入することになり行政侵害になる。司法の行政介入は禁止されている。司法の法律を順守させることにある。

辺野古埋め立てが米軍建設ではなく住宅や工場などを建設するのが目的であったら県は埋め立て承認を撤回しなかったはずである。米軍基地建設だから辺野古移設に反対し埋め立て承認を撤回したのである。

タイムスは、

「今回の最高裁判決は、沖縄の将来に関するある懸念を浮上させた。南西諸島の「軍事要塞（ようさい）化」が進む中で、国の防衛力強化が最優先され、自治が制約を受けるのはやむを得ないという空気が広がる、という懸念を。その動きこそ警戒すべきだ」

と結論している。

タイムスの根底には反米軍、反自衛隊イデオメギーがある。だから埋め立て承認撤回を主張するのである。イデオロギーを正当化するために司法の在り方を捻じ曲げているタイムスである。反米軍、反自衛隊イデオメギーに固執するあまりに司法の在り方を捻じ曲げているのがデニー知事とタイムスである。

デニー知事、タイムスの理屈は紙の上の沖縄では大手を振っているが地の上の沖縄ではしぼんでいる。

12月9日

今度は左翼の最高裁判決非難集会
左翼のエセ民主主義

デニー知事、タイムスに続いて教職員、自治労系の左翼が県の上告を棄却した最高裁判決に抗議集会を開いた。

集会で演説したのがオール沖縄会議・稲嶺進共同代表である。稲嶺代表は元名護市長である。２０１８年の市長選に辺野古移設反対を選挙公約にして落選している。今年の名護市長選でも稲嶺氏に続いて辺野古移設反対の岸本洋平候補が落選した。

二人の落選によって名護市の民意は辺野古移設容認であることがはっきりした。名護市民は辺野古移設に反対ではないことを市長選によって明らかにしたのが稲嶺氏である。名護の民意は辺野古移設容認であり、埋め立ても容認である。

名護市の民意を知っているはずの稲嶺氏は抗議集会で、

「(司法が)民主主義を守るという大きな役割を放棄する。これこそが最も大きく裁かれるべき大きな罪ではないでしょうか」

と述べた。

名護市の民意は辺野古移設容認であり、埋め立て容認である。元名護市長であった稲嶺氏が民主主義を守る気があるなら司法が県の上告を棄却したのを認めるはずである。しかし、左翼だから認めない。稲嶺氏は左翼であり反民主主義であるのは明らかである。反民主主義であるのに民主主義を装うのが左翼の得意とするところである。それは日本の民主主義を侮辱するものである。

国の司法の最高機関である最高裁が民主主義を放棄していると稲嶺氏はいうのである。稲嶺氏は日本の司法を侮辱している。日本の議会制民主主義、三権分立を侮辱している。

最高裁判決で県民が重視しなければならないのは今回の県の訴訟は裁判の対象にならないほどの最低な訴訟であったことである。

司法が民主主義を守るという大きな役割を放棄したのではない。県が司法の対象にならない訴訟をやったのである。

デニー知事、タイムス、左翼のように司法を非難するのではなく県の法の道から外れた訴訟を批判し、二度と裁判で放棄されるような訴訟をしないことを県に誓わせることが重要である。

12月10日

敗北を分かりながら訴訟した左翼の空しい戦い

県が辺野古の軟弱地盤を根拠にして埋め立てを中止するように請求した訴訟が最高裁によって却下された。県側の敗訴である。県の敗訴にデニー知事、タイムス、オール沖縄は判決が間違っていると抗議した。キャンプ・シュワブでも抗議集会が行われた。集会の人に新報は取材をした。

「結果は予想していたが残念だ」。原告の男性（65）は声を落とす。

琉球新報

原告の男性は県と同様の辺野古抗告訴訟を民間で起こしたひとである。その原告の男は最高裁が訴訟を却下することを知っていたのである。

彼は裁判に負けるのは最初から分かっていた。分かっていながら訴訟をおこしたのだ。軟弱地盤を理由に埋め立て中止の訴訟をしても裁判に勝つことはできない。そのことを知っていながら訴訟したのは裁判に勝つのが目的ではないということである。軟弱地盤のことを県民に広め、辺野古埋め立て反対に賛成する県民を増やし、辺野古移設反対運動を盛り上げて、辺野古移設を阻止するためである。そんな夢を持っているから負けると分かっている裁判もやるのだ。

裁判を展開しながら辺野古移設反対運動を広げていく予定だったのに、今回は裁判さえ開かないという判決が下ったのである。裁判をして負けてもいいから県民に辺野古移設反対を訴えるという戦術が使えなくなったのが今回の訴訟廃棄である。訴訟廃棄の判決は一審で下った。ということは訴訟廃棄の判決が高裁、最高裁でも出るのは分かり切ったことであった。そのことを新報が取材した原告が話したのである。

その男だけではない。敗訴することは県もタイムスも移設反対派のほとんどの人が知っていたのである。知っていながら上告したのだ。そして、最高裁の判決が出た時に司法へ批判するを準備していたのである。

○司法が民主主義を守るという大きな役割を放棄した。
○司法は国は上、地方自治体は下にして差別している。
○司法は国の行政に忖度（そんたく）している。

3点である。

辺野古の埋め立て予定地で軟弱地盤が見つかり、国土交通省が埋め立て設計変更を提出したことから始まった裁判問題である。国は公有水面埋め立て法を忠実に守りながら埋め立てを進めてきた。法律に則っている埋め立て計画を阻止するために違法なことをやってきたのが県である。それなのにデニー知事、タイムス、反対派は県の訴訟を破棄した司法を非難し、三権分立は崩壊して日本は民主主義ではないというのである。

移設反対派の批判が辺野古の埋立てにとどまらず司法、民主主義の否定まで発展している。あまりにも大袈裟である。なぜ、こんなに大袈裟な展開をしていくのか。それは反対派の体質にある。

9日、那覇市・県民広場で開かれた辺野古新基地を造らせないオール沖縄会議の写真である。のぼりを見てほしい。のぼりは教職員や公務員のそれぞれの職場ののぼりである。集会を主導しているのが公務員層であるということだ。復帰前からずっと反米軍を主導してきたのは教職員組合と自治労である。

辺野古埋め立て阻止運動は共産党、社民党、教職組合、自治労が展開していることが写真でもわかる。彼らの最終目的は社会主義革命であった。ソ連崩壊があり、彼らの目標は遥か彼方に遠のいている。夢は遠くなっていったが自民党政府打倒の意思は強い。

辺野古移設を阻止することは自民党政府に勝利することである。だから、勝利を勝ち取るためにあらゆる手段をを用いて戦っている。しかし、時代に合わない運動は弱体化している。

沖縄の政治はグラグラしていて、辺野古移設反対の翁長雄志氏が知事になり埋め立てを阻止しようとし、後継者のデニー知事も移設阻止しようとしている。しかし、移設阻止は無理である。

日本の議会制民主主義体制は強固である。司法はしっかりと議会制民主主義を守っている。民主主義に則って進めている辺野古移設工事はびくともしない。着実に進んでいく。

６年前のキャンプ・シュワブ前の辺野古移設反対運動は激しかった。反対派は実力で埋め立て工事を阻止するつもりでいた。実力阻止に向けて激しい運動をしたのだ。しかし、日本は議会制民主主義がしっかりしている。非民主的な暴力行為は衰退していく運命にある。だから、、６年後の現在は衰退している。

このことを６年前に書いた。２０１６年０４月０６日にブログに掲載した「１９６７年、暴力で教公二法が阻止されたことを忘れるな」より

米民政府が統治していた１９６７年である。教員は１０割年休を取り、教育を放り出して立法院に結集した。そして、警官をごぼう抜きにして議会に乗り込んで教公二法の議決を阻止した。教公二法とは教員の政治活動を禁止するものであり、本土ではすでに成立していた。政治活動を抑え込まれることを嫌った教員が立法院の議会になだれ込み、法案議決を阻止したのである。

キャンプ・シュワブに集まって辺野古飛行場建設に反対している人たちは１９６７年に教公二法を暴力で阻止した教員と同じ思想だ。キャンプ・シュワブに２万５０００人の反対者を集めて実力で移設を阻止したいのだ。幹部は「１００００人集まれば阻止できる」という話はよく言う。

教公２法阻止共闘会議を中心に最大２万5000人規模で立法院棟を取り囲んだ群衆＝1967年２月24日

キャンプ・シュワブで教公二法阻止闘争の時のように工事を阻止できないのは単に人数が少ないだけである。彼らの思想は教公二法を阻止した時と同じである。２万５０００人も集まればキャンプ・シュワブになだれ込みキャンプ・シュワブを占拠していただろう。

なぜ、こんなに教職員は強かったのか。その原因の一

つは戦前の教員の地位の高さにある。戦前は中央集権政治であった。中央の政治を地方に広めるのには教育が必要であり、教員がその役目だった。いわゆる国家意思の伝達者である。

「三歩下がって師の影を踏まず」

生徒が教師の影を踏んではいけないくらいに教師の地位は高かったのである。沖縄の優秀な人は軍人か教師か公務員になった。敗戦によって軍人はいなくなった。沖縄では優秀な人は教師と公務員であった。

教師は優秀であり沖縄の人々の信任が厚かった。しかし、復帰後は日本政府によって教育が発展し、ほとんどの県民が高校に進学し、大学進学者も増加することによって教師の権威は落ちていった。教師は聖者ではなく、普通の人になった。普通の人になることによって次第に左翼政治活動から離れていく教師が増えていった。教師の左翼思想を支持する県民も減っていった。

教師の左翼活動家はまだまだ多いが、減少傾向に歯止めはかからないだろう。

目取真俊氏は元教師である。彼の思想には教公二法阻止運動の教師と同じように、実力で法案を阻止する思想がある。それは彼の言動と行動に表れている。

目取真氏は今度の逮捕を不当逮捕だと主張している。その理由として、一部のメディアでは目取真氏が陸上に上陸したから逮捕されたと報じているが自分は上陸していない、だから逮捕は不当だと主張している。

そして、「最近の海上行動は、スパッド台船やクレーン付き台船の様子を見、陸上部での作業がないかを確認するのが中心だ。長崎の岩場付近はスパッド台船に向かう通過点に過ぎず、浜に上陸する理由などない」と言い、軍警備員が二人がかりで暴力的に目取真氏を海から岩場に引きずり上げ、力づくで浜に移動させたと言っている。そして、「事実関係をきちんと取材もせず、国家権力側の情報を垂れ流しているメディアには情けなさと怒りを覚える」とメディアを非難している。目取真氏のメディア非難はおかしい。

逮捕された時、目取真氏は進入禁止フロートをすでに超えていた。超えてなおも進み陸に接近したから軍警備員の手が届いたのである。軍警備員の手が届いたということは違法行為をした証拠である。

目取真氏は「事実関係をきちんと取材もせず」と反発しているが、ほとんどのメディアが進入禁止のフロートを超えたことを書いている。「国家権力側の情報を垂れ流しているメディアには情けなさと怒りを覚える」と言っているが、フロートを超えなかったとは目取真氏は言っていない。陸上に引きずり込まれたと言っているだけである。フロートを超えていたら不当逮捕ではない。正当な逮捕である。目取真氏のほうが嘘をついている。

　目取真氏は自分のブログで、立ち入り禁止のフロートを障害物と呼び、立ち入り禁止のフロートを超えるのが彼の日課になっている。フロートを障害物と考えている目取真氏は今回の逮捕を違法行為と認めていない。その理由は、彼には彼の法律があり、国の法律より自分の法律の方が正しいと思っているからである。

　目取真氏だけでなくキャンプ・シュワブで反対運動をしているほとんどの人たちが自分たちの法律が国よりも正しいと思っているのである。

三線の日に国道で踊るのは正しい。

道路の真ん中で警官の静止を無視して車を進めるのも正しい。制止する警官の足をひいても正しい。

出入り口にブロックを積むのも正しい。

それが彼らの法律である。日本の法律ではない。彼らの法律が屈服させられるのは彼らの法律に欠点があるとは彼らは考えていない。屈服させられるのは法律を駆使できる彼らの権力が弱いからであると彼らは考えている。権力は弱いが思想は正しいというのが彼らである。彼らは国の権力である警察や機動隊が増加するのに非難を浴びせる。減らせ減らせとシュプレイコールする。そ

れは敵である国の権力が強くなれば自分たちの権力が抑え込まれるからである。敵の権力が弱ければ自分たちの権力を発揮することができる。２００４年の辺野古沖移設のように。あの時は国の権力が弱かった。だから、ボーリング調査を阻止できたのである。

彼らは彼らの暴力を正しいと信じているのである。それは議会制民主主義国家日本の法律を否定することである。彼らの思想が全国に広まれば議会制民主主義国家日本の崩壊である。

キャンプ・シュワブの反対運動の規模がとても小さいから議会制民主主義の崩壊は大袈裟な話である。大げさではあるが彼らの思想を深く考えれば暴力革命につながる思想であることが分かる。彼らの思想は滅ばなければならない思想である。

普天間飛行場の横暴な辺野古移設反対運動は6年前に比べると明らかに衰退している。彼らの主張が正しければ反対運動は拡大していた。しかし、県民から身勝手な反対運動は敬遠されるようになったのである。

ひろゆき氏のこの写真を掲載し、「座り込み抗議が誰も居なかったので、０日にした方がよくない？」とツイートをした。ひろゆき氏のツイートで辺野古の座り込みが一気に全国で有名になった。

12月12日

本土に弄ばれるキャンプ・シュワブ座り込み　今度は高須院長が座り込みピース

高須院長は、「メリークリスマス辺野古基地なう」と投稿して沖縄県名護市辺野古の米軍基地シュワブゲート前を訪れたことを明かし、続けて「誰もいないので座りこみしてあげたぜなう」と連投した。政治に関係のない高須院長のピースはおちゃめそのものである。

もう遊びの世界だな。「新基地断念まで座り込み抗議」が高須院長のピースで遊びの世界になった。

本土にもてあそばれているキャンプ・シュワブの辺野古移設反対運動である。

12月13日

辺野古新基地反対で普天間飛行場撤去が言えなくなった　皮肉なことよ😭（苦笑）

2017年12月13日、普天間第二小学校の運動場にアメリカ軍のCH53Eヘリコプターから重さ8キロの窓が落下した。事故当時、運動場では、およそ50人の生徒が体育の授業を受けていた。子供たちの上に落ちる可能性もあった。死者が出なかったのは不幸中の幸いであった。

普天間飛行場があるために少年の生命が危険さらされていることが明らかになった事故であった。宜野湾市は普天間飛行場の騒音被害を受けている。それに加えて子供たちの生命さえ危険であることが判明した。騒音被害をなくし、子供たちの生命を守るには普天間飛行場の撤去しかない。。今までの沖縄であったら激しい普天間飛行場撤去運動が展開されていた。ところが普天間飛行場の存在が生徒の生命を奪うことが現実となったのに撤去運動を展開しない。今までの沖縄は米軍基地撤去運動に明け暮れていた。沖縄から米軍基地を撤去し、基地のない平和な島にするのを理想とするのが沖縄の戦いだった。

小学校の運動場にヘリコプターの窓が落下した。生徒の生命の危機！！

「子供たちのいのちを守るために、沖縄を平和にするために普天間飛行場を撤去せよー」とすぐに撤去運動が展開され、現在も続いているはずである・・・・が撤去運動は起こらなかった。おかしい。

今日のタイムス、新報には6年前の窓枠落下による普天間飛行場の危険性を書いている。大惨事になりかねなかったことを強調している。しかし、不思議なことに「一日も早く、普天間飛行場を鉄橋してほしい」と主張していない。なぜなのか。理由は普天間飛行場の辺野古移設にある。米軍基地撤去運動を展開してきたのは教職員組合と自治労であり、米軍基地を日本から撤去するのを目的にしている彼らは県内の辺野古に移設するのは反対である。普天間基地撤去を主張することは辺野古移設賛成に繋がってしまう。普天間基地撤去＝辺野古移設にならないためには普天間基地撤去を主張するわけにはいかない。基地撤去と基地移設阻止のジレンマで基地撤去運動ができなくなっているのが沖縄の左翼である。

共産党の志位委員長は普天間飛行場の移設をイメージさせないために辺野古新基地建設と言い、あたかも辺野古に新しい米軍基地を建設しようとしているように話す。そして、辺野古に米軍基地ができると有事になるとミサイル攻撃されて、名護市民が危険であると辺野古基地建設に反対する。志位委員長の話には笑ってしまう。辺野古移設できなかったら普天間基地がそのままだ。有事になれば普天間飛行場がミサイル攻撃される。被害は辺野古の比ではない。志位委員長は辺野古がミサイル攻撃されるより宜野湾市がミサイル攻撃されることを選んでいるのである。県民の被害が大きくなるのを選んでいる。「辺野古に新基地ができたらミサイル攻撃される」と話す主志位委員長は滑稽である。

辺野古新基地建設反対に熱心であるために普天間基地撤去、嘉手納基地撤去・・・米軍基地撤去を言わなくなった左翼である。

辺野古新基地建設阻止運動に集中しているキャンプ・シュワブ座り込み闘争は本土の有名人ひろゆき氏と高須院長に茶化されている。沖縄の反米軍基地運動が茶化されるとは以前なら考えられないことである。運動に真剣さが薄れ、軽くなったということだな。

米軍基地撤去を言えない辺野古新基地建設阻止運動には苦笑するしかない。

12月15日

デニー知事と左翼の敗北は6年前から指摘　沖縄自民の駄目さも

2016年3月15日のブログ

議会制民主主義に唾する翁長知事

翁長知事や革新をのさばらしているお粗末な沖縄自民党政治家たち

宮崎政久衆議院議員は安倍政権が県と暫定案で和解したことを歓迎している。宮崎議員は「和解は司法の判断に従うということは、三権分立のもと立憲民主主義により政治を行う上で妥当な進み方」であると指摘している。翁長知事の承認取り消しは違法行為であると主張したのは安倍政権である。違法行為の訴訟を取り下げて和解することに三権分立のもとの立憲民主主義があるわけがない。立憲民主主義を避けて政治取り引きにしたのが県との和解である。

三権分立のもとの立憲民主主義にこだわるなら和解をしないで判決を待つべきであった。ところが宮崎議員は安倍政権の和解に賛同し、和解に全力を尽くすというのである。和解を支持する理由として、「辺野古訴訟和解の本質~次で裁判は終わる~」と和解することで、次の裁判ですべてが終わり、二度と裁判はないから辺野古移設はスムーズになるというのである。

沖縄の政治家でありながら沖縄の政治を知らないのが宮崎議員である。

宮崎議員は和解の成立を歓迎するといい、その理由を「普天間飛行場の危険性除去のために国と沖縄県知事が延々と訴訟を続けることを回避し、普天間の危険性除去に向けて大きな前進になるからだ」といって、丁寧に説明している。

和解の内容を簡潔に（それでも長いが）説明しておこう。

1　国も沖縄県知事も現在提訴している訴訟をそれぞれ取り下げる。

2　国は埋立工事を直ちに中止する。

3　国は沖縄県知事に対して、埋立承認取消に対する是正の指示をする。沖縄県知事は1週間以内に国地方係争処理委員会（委員会）へ審査申出をする。

4　国と県知事は委員会が迅速な審理判断を出来るよう全面協力する。

5　委員会が是正指示を違法でないと判断した場合、沖縄県知事は1週間以内に是正指示の取消訴訟を提起する。

6　委員会が是正指示を違法と判断した場合、国が勧告に応じた措置を取らない時は、沖縄県知事は1週間以内に是正指示の取消訴訟を提起する。
7　国と沖縄県知事は、是正指示の取消訴訟が迅速に行えるよう全面的に協力する。
8　国と沖縄県知事は、是正指示の取消訴訟の判決確定まで普天間飛行場の返還及び埋立事業の円満解決に向けた協議を実施する。
9　国と沖縄県知事は、是正指示の鳥系訴訟判決確定後は、直ちに、判決に従い、その主文とそれを導く理由の主旨に沿った手続きを実施するとともに、その後も同趣旨に従って互いに協力して誠実に対応する。

この和解条項1~9をわかりやすくまとめれば、①今やっている裁判は双方取り下げて、②国は埋立工事を中止して、③国から知事への是正指示をした上で、④ファイナルアンサーとなる訴訟を行い、⑤訴訟の結果には国も県知事も従い、その後も協力する、⑥その一方で円満解決に向けた協議を行う、ということです。

弁護士でもある私から皆さんにお伝えしたいことがいくつかあります。

まずは、「和解に勝者も敗者もない」ということです。

和解は訴訟当事者がお互いに譲り合う「互譲の精神」で行われるものです。どちらか一方にだけ有利な内容では互いに譲り合ったことにならないので、双方が知恵を出し合って、解決に向けて共に前進する合意が和解なのです。

では、本件でどのように「解決に向けた前進」があったのか。

それは9項に示されています。つまり、国と沖縄県知事で次の訴訟をし、その訴訟で判決確定し　た後は「互いに協力して誠実に対応する」ということです。次の訴訟が最後の裁判であり、ファイナルアンサーになるということです。

次の裁判が終わった後でも、別途裁判を延々と起こせるということであれば、9項のような特殊な合意はしません。9項には、国と沖縄県知事は、「判決に従い」、「(判決の)主文及びそれを導く理由の趣旨に沿った手続きを実施する」、だけでなくて「その後も同趣旨に従って互いに協力して誠実に対応する」とあります。次の裁判で一定の判決が出れば、もう次の訴訟を起こさないということです。

延々と訴訟が続くことは国にとっても沖縄県にとっても何のメリットもない。だから、次で終わりにするため裁判所を仲介にして国と沖縄県が英知と勇気をもって合意したのが今回の和解です。

もし、このような特別な合意をしておきながら、次の訴訟で敗訴したにもかかわらず延々と訴訟を続けるというのであれば、それは即ち普天間問題を解決するためのファイナルアンサーに従わないことになり、普天間問題の解決は目的にしない行動をとるということになります。いわば、訴訟を延々と続けることが自己目的となって、反対運動をしたいから訴訟を続けると言っているようなものです。

これは誠におかしなことです。

この問題の原点は絶対に忘れてはいけない。

原点は、「普天間飛行場の固定化は絶対に認めない。普天間飛行場の危険性除去は一刻も早く実現する。」です。

そして、普天間問題は私たちの世代で解決し、次の世代に送らないことを決意しています。

常に原点に忠実であるのが県民の立場に立っているということです。

国も沖縄県知事も、次の訴訟で裁判を終えて、普天間問題の解決に向けて互いに協力し誠実に対応する。

それがこの和解の本質です。（宮崎政久オフィシャルブログ）

非常に素晴らしい説明である。これで辺野古問題は解決すると信じてしまうような理路整然としている。しかし、このように理路整然とは進展しないのが沖縄の政治である。

沖縄の政治家でありながら沖縄のどろどろとした沖縄の政治の現実を知らないのが宮崎政久議員である。

宮崎議員は弁護士であり法律に詳しく和解についても法的ルールにのっとって展開していくと説明しているが、違法行為がまかり通るのが沖縄の政治である。

翁長知事は埋め立て承認取り消しという違法行為をやった。違法行為を平然とやった翁長知事のしたたかさを知らないのが宮崎議員である。宮崎議員は9項を根拠に「次の裁判で一定の判決が出れば、もう次の訴訟を起こさない」と説明しているが、その判断は甘い。翁長知事や革新のことを知らない人間の説明である。

翁長知事は代執行訴訟で、承認取り消しが違法だという判決が下れば判決に従って取り消しを取り消すと約束したが、約束の発言した舌の根が乾かないうちに、判決の後に国が新たに設計変更を申し込めば全て承認をしないと発言した。それは今度の和解後の裁判で翁長知事が是正取り消し訴訟に敗北したら、是正取り消しについては取り消すが、次の国の設計変更は承認しないということである。翁長知事が設計変更を承認しなければ、国は非承認は違法であると訴訟を起こすしかない。すると国による新たな訴訟が起こる。国が8度変更申請をしたら8回の裁判が起こるということになる。それを9項で止めることはできない。違法行為ではないからだ。9項は翁長知事が指摘しているように今回の訴訟を縛るものであって、その後に起こるであろう国の申請変更を承認するかしないかの翁長知事の権限を縛るものではない。

翁長知事は国の変更申請は承認しないとすでに宣言している。翁長知事は宮崎議員の指摘する通り、「訴訟を延々と続けることが自己目的となって、反対運動をしたいから訴訟を続ける」のである。翁長知事の行為は誠におかしいことであるが誠におかしくても辺野古工事を引き延ばしたい翁長知事は訴訟を延々と続けるのである。翁長知事が革新の支持を得るためにはそれ以外の方法はないのである。そんなことを知らない宮崎議員である。

宮崎議員は「延々と訴訟が続くことは国にとっても沖縄県にとっても何のメリットもない」と述べているが、訴訟が続き、辺野古工事が中止したり延期したりすることは革新の支持を得ることができるから翁長知事にとって大きなメリットがあるのだ。宮崎議員は弁護士であることを自負しながら「和解に勝者も敗者もない」とかっこいいことをいい、「和解は訴訟当事者がお互いに譲り合う『互譲の精神』で行われるものです」と優等生発言をしているが、このように考える宮崎議員の政治は翁長知事、革新の政治には通用しない。宮崎議員は沖縄の政治家としてはお粗末である。

宮崎議員は本当の原点は、「普天間飛行場の固定化は絶対に認めない。普天間飛行場の危険性除去は一刻も早く実現する。」であり、この問題の原点は絶対に忘れてはいけないとこれまた優等生発言をしているが、それが本当の原点ではない。原点は普天間飛行場は県外移設、閉鎖・撤去ができないから辺野古移設が唯一であるが翁長知事、革新は違法行為をしてまで辺野古移設を妨害していることである。そのことを見抜くことができない、沖縄の政治状況を正確に把握することができていない沖縄自民党の国会議員宮崎氏である。

翁長知事や革新の違法行為をのさばらしているのは宮崎議員のようなお粗末な沖縄自民党政治家が原因である。

議会制民主主義に唾する翁長知事

今回の県の承認取消訴訟も最高裁で裁判の対象にさえならないという判決が出た。県が起こした訴訟は全て敗北している。違法な訴訟が勝てるわけがない。敗北は当然である。しかし、知事選ではデニー知事は当選した。違法をやり続けている左翼系が知事選では勝利したのである。

沖縄では違法行為をする政治家が県民に選ばれるのだ。その責任は負けた自民党県連にある。県連は左翼の嘘を見抜くことができない。左翼の嘘を覆すことができない。自民県連の無知が左翼のやりたい放題を許すのである。左翼の勝手な行為を許さないのが日本の議会制民主主義・法治主義である。

12月16日

辺野古移設の代替案を提示しないデニー知事は普天間固定の推進者だ

辺野古移設に反対し、阻止するために裁判までしているデニー知事だ。辺野古移設に反対であるなら辺野古に代わる移設先を知事として提示しなければならない。

辺野古に米軍飛行場を建設するのは米軍を強化するための新基地建設ではない。普天間飛行場を移設するためである。もし、辺野古に建設できなければ普天間飛行場の移設ができなくなる。移設先を失った普天間飛行場は固定してしまう。

デニー知事は辺野古移設に反対し、移設を阻止するために訴訟を起こし、移設反対派の集会にも参加している。徹底して辺野古移設を阻止しようとしている。辺野古に代わる移設先を提示しないデニー知事は普天間飛行場の固定を容認しているに等しい。

デニー知事は「普天間日古城返還は辺野古移設に関わりなく実現されるべきだ」というが詭弁だ。辺野古に移設することによってのみ返還される。

デニー知事は普天間飛行場の固定化を目指している。デニー知事は普天間飛行場固定の推進者である。

12月17日

デニー知事は普天間飛行場の固定を目指していると議会で追い詰めることができない自民党県連のお粗末

デニー知事は辺野古移設に反対しているだけで辺野古以外の移設先を取り上げていない

デニー知事は松川宜野湾市長が県に早期返還に向けた協力を要請したのに対して「返還は辺野古移設に関わりなく実現されるべきだ」と辺野古移設と普天間飛行撤去の関係を切り離している。普天間飛行場を撤去するために辺野古移設かある。辺野古移設と普天間飛行場撤去は表裏一体であり、切り離すことはできない。辺野古移設と関わりなく普天間飛行場の撤去を実現するのは不可能である。自民党県連はこのことをデニー知事に突き詰めるべきだ。

デニー知事の辺野古移設反対は普天間飛行場の固定化を主張しているに等しいと主張するべきである。デニー知事がそうではないと言い張るなら、辺野古移設なしに普天間飛行場を撤去できる方法をデニー知事に明らかにさせるのだ。できるはずがない。辺野古以外に移設できる場所はないのだから。政府と話し合うとデニー知事が言えば政府は辺野古移設を進めている。政府は辺野古以外に移設場所を見つけることはできなかった。政府が話に応じないのは明らかであると指摘すればいい。

自民党県連は県議会で徹底してデニー知事の辺野古移設しないで普天間飛行場撤去する方法が何かを追及していくべきだ。


普天間飛行場撤去が辺野古移設と関わりなく実現するには別の移設場所がある時だ。これ以外にはない。デニー知事が辺野古移設に反対することができる条件は別の移設場所をデニー知事が見つけた時である。辺野古以外に移設できる場所があるなら移設反対することができる。

自民党県連はデニー知事に辺野古以外の移設場所を見つけたか否かを質問するべきだ。あるはずがない。ないことをデニー知事の口から言わすのである。言わないならば徹底して追い詰めていくのだ。デニー知事に他の移設場所が見つかっていないことを明らかにし、デニー知事に辺野古移設反対をする資格がないと宣言すればいい。


と思うのだが・・・・。自民氏県連にはその気がない。

13日の県議会一般質問で、共産党の比嘉瑞己議員が「那覇港湾計画の改定は軍港移設を前提とするべきでない」と軍港移設に反対の旨の発言をした際、那覇軍港の浦添移設を容認している自民席から「そうだ」と同調する声が上がった。共産党に同調する自民党県連である。デニー知事は共産党に同調した自民会派の関周辺を指さした。自民党は那覇軍港の浦添市移転に賛成した。それなのに反対の共産党に同調するのデニー知事にとって信じられないことだった。だから、思わず指をさしてしまったのである。

自民は知事の行為は議会の懲罰委員会に諮るべきではないかと主張した。デニー知事は14日の県議会本会議で、13日の一般質問中、自民党議員の席を指さした自身の行為が不適切だったとして謝罪した。

自民が共産党に同調したことは問題にされていない。ということは自民は那覇軍港の浦添移設に対しては共産党と同じ考えであるということになる。賛成であったり反対であったり中途半端な自民である。

辺野古移設も同じである。辺野古移設に賛成であったが反対になり、それから賛否が入り混じるようになった。辺野古移設に対して中途半端である。中途半端な自民がデニー知事を追い詰めることはできるはずがない。

12月19日

共産党・左翼と対決しているのはデニー知事　対決しない自民党県連のふがいなさ

デニー知事は日米安全保障を認め、専守防衛のための軍事力保有を認めている。そして、中国の攻撃に対する防御を目的とした南西諸島における自衛隊の体制強化についても、米軍基地の整理縮小を進め基地負担の軽減につながるのであれば認めると発言している。

デニー知事の方針は自衛隊基地建設に反対しているオール沖縄の共産党と社民党の左派と対立する。すぐにノーモア沖縄戦　命どぅ宝の会がデニー知事に公開質問状を出した。共同代表は石原昌家、宮城晴美、具志堅隆松、ダグラス・スミス、山城博治とそうそうたるメンバーである。

質問状は、台湾有事の際には沖縄が戦場になるのは必至。政府の大規模な戦争準備政策に対し、県民の命と暮らしを守ることを最大の使命とすべき県知事が戦争準備政策に賛成していると批判している。

長距離ミサイルが沖縄配備されると沖縄の島々が中国ミサイルの攻撃目標になるし、沖縄が戦場にされると主張し、デニー知事に「二度と沖縄を戦場にしない」という公約を守り、反対の意思を示すように要求している。

1　12月8日回答は知事の本位ということで間違いないですか。

2　島々の港湾・空港の使用許可が、ひいては全面的な軍事利用に繋がっていくだろうことは、辺野古新基地建設用土砂の搬出港となっている塩川港を見れば明らかですが知事にそのような懸念や認識はありませんか。

3　沖縄配備の地対艦ミサイルの中国に届く長射程化、その他長射程ミサイルの沖縄配備が報道されています。「専守防衛」を逸脱し、沖縄のミサイル戦場化懸念されます。知事はこれからミサイルの沖縄配備を容認なさるのか。自衛隊「旅団」の「師団」格上げも容認するのか、お伺いします。

4　沖縄が戦争に巻き込まれることに歯止めをかけるにはどうしたらいいかお考え聞かせてください。

ノーモア沖縄戦　命どぅ宝の会

南西諸島の自衛隊強化についてデニー知事はオール沖縄の左派と真っ向から対立している。左派が自衛隊強化を認めることは絶対にない。対立を解消しなければデニー知事支持を止めるほどの対立である。

デニー知事がオール沖縄左派と真っ向から対立すると

は予想していなかった。

デニー知事は自衛隊の増強を否定していない。増強するなら国政でしっかりとした議論することを要求している。左派には受け入れられない考えである。デニー知事と左派の対立はデニー知事が左派に同調するまで続くだろう。左派がデニー知事に同調することは絶対にないからだ。

南西諸島における自衛隊の体制強化の問題がオール沖縄内でデニー知事派と左派の対立になった。オール沖縄の内部分裂である。左派は知識人が多い。理論でどんどん攻める。ノーモア沖縄戦　命どぅ宝の会が出した公開質問状のように厳しい理論攻めをする。デニー知事にとって厳しい対立である。左派の軍門に下るか、それとも反論して自分の主張を守り抜くか。

自民党県連の知事なら簡単に負ける。左派の主張に賛成する。２０１２年に「沖縄に内なる民主主義はあるか」を出版したが、その出版のきっかけとなったのがブログに書いた「県議会事務局の米軍基地全面返還したら９１５５億５千万円経済効果資産の真っ赤な嘘」であった。自民党県連の仲井真知事の時代に左派がつくった嘘の理論を県議会で認めたのだ。嘘の理論に簡単に虜にされる自民に呆れた。「沖縄・・・」には「普天間飛行場の移設は辺野古しかない」も掲載した。

：：

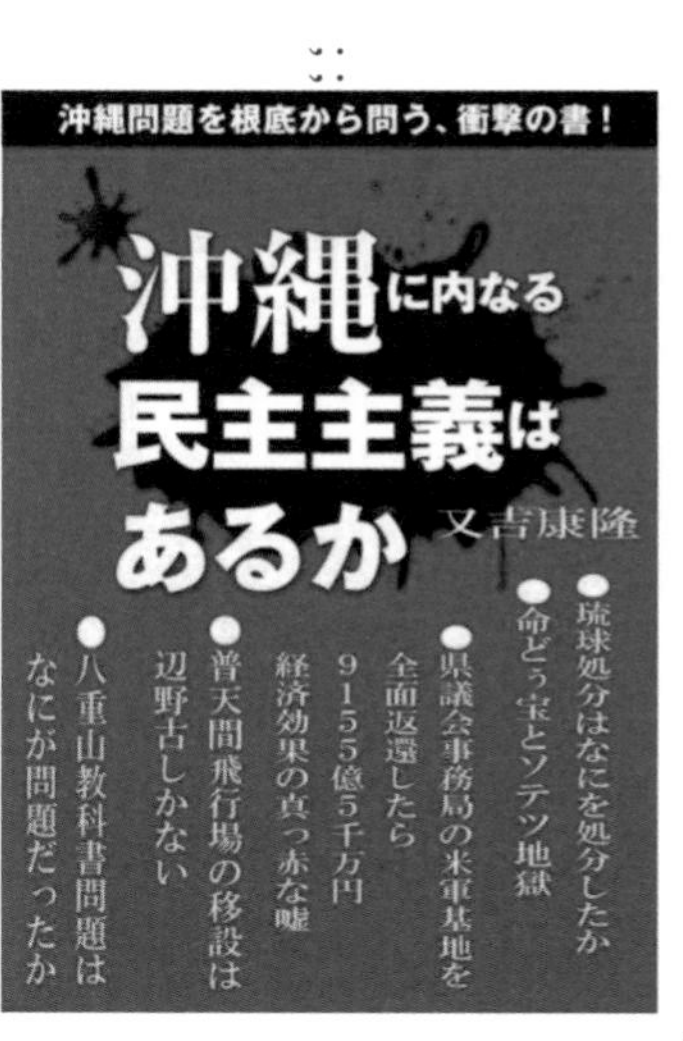

自民党県連は左派がつくった嘘の理論を信じて辺野古移設反対だった。自民党県連は基地問題に関しては左派の言いなりである。共産党議員が那覇軍港の浦添市移籍に賛成したデニー知事に反対している時に「そうだ」と共産党に味方したのが自民議員グループであった。怒ったデニー知事ば思わずその議員グループを指さした。指さした行為はあるまじき行為であると自民党は抗議し、デニー知事は陳謝した。共産党に賛同したことは不問である。そのことではっきりしたのは那覇軍港移設に真剣に考えているのがデニー知事であり、いい加減であるのが自民党であることだ。

デニー知事が左派の軍門に下るかそれとも最後まで踏ん張るか予想できないが自民党県連がデニー知事を支援することはない。不甲斐ない自民党県連である。

12月17日

笑われているのは沖縄ではない　シュワブ座り込みだ　朝日のでっち上げ

週刊朝日に「『沖縄が、また笑われている』真剣な怒りを無効化、「w」が差別と偏見を助長する」が掲載された。ネットに載っていたので読んだ。沖縄と書いてあるのに沖縄ではなくキャンプ・トシュワブの移設基地反対運動が県外から来たレイシスト集団や右翼が押し掛けて座り込み参加者をからかい笑っていることを書いている。笑われているのは辺野古移設反対の座り込み闘争をしている人たちだ。彼らが笑われたからといって沖縄が笑われているのではない。

キャンプ・シュワブに来て椅子による座り込みをするのは数十人くらいである。たった数十人が笑われたのを沖縄が笑われていると思うのはジャーナリストの主観による錯覚である。

安田氏はシュワブへ県外から来たレイシスト集団や右翼が押し掛けて

「じじい、ばばあ」「朝鮮人」「年寄りばかりで臭い」。そうマイクでがなり立てながら、みなで笑い転げる。抗議参加者が集まるテントに飛び込み、「隠れてるんじゃないよ」「風呂に入れ」と罵りながら、また笑うと述べている。老人が多く、レイシスト集団、右翼がからかうことができるほどに参加人数は少ないのだ。彼らに沖縄をからかう実力はない。小人数で体力のない老人集団だからからかったのである。彼らは沖縄をからかったのではない。力の弱い少数の老人たちをからかったのである。

シュワブの老人たちは沖縄の代表ではない。レインストも右翼もごく一部の本土人である。沖縄もなければ本土もないシュワブの世界で老人たちがからかわれたということだ。こんなちっぽけなことを大袈裟にして沖縄が笑われていると安田氏は思うのである。ジャーナリストのアホな妄想である。

キャンプ・シュワブの移設反対派は現実にはちっぽけである。沖縄がうんぬんと大袈裟にするのがマスコミである。マスコミの文字が派手に踊っているだけである。踊らしているのが、文字を躍らすのが飯のタネのジャーナリストである。

ジャーナリスト安田氏から見える沖縄は米軍基地、辺野古と基地反対運動する連中とそれをからかうレイシスト、右翼だけなのだろうな。安田氏にとっては朝日に文章を掲載するために沖縄がある。

１２月１７日

米軍基地がある限り沖縄は有事にならない　それを知らない不思議さ

米軍基地のある沖縄をミサイル攻撃するということは米国と戦争するということである。世界最強の米国と戦争する国はない。米国の軍事力は世界最強である。米国と戦争すれば確実に負ける。負ける戦争はしない。米国と戦争になってしまう沖縄へのミサイル攻撃する国はない。あるはずがない。ところが有事になれば沖縄はミサイル攻撃されるという考えがマスコミでは定着している。

共産党の志位委員長は普天間飛行場の辺野古移設を新基地建設と言い、辺野古に新基地ができると有事の時に辺野古新基地はミサイル攻撃されると言った。辺野古がミサイル攻撃されないために新基地建設に反対した。志位委員長は「有事になれば」と仮定した。その仮定が成り立つか否かは問題にしなかった。仮定が成り立たなければ「有事になれば」とは言えない。

基地が増えれば攻撃される確率が高くなるように左翼は言うがばからしい。マスコミも左翼に同調している。ウクライナに米軍基地があったらロシアは攻撃しなかった。軍事が強ければ攻撃されない。当たり前である。

１２月１８日

笑わせるね　ジャーナリストの自惚れ「民主主義崩壊の危機　紙の新聞は社会への窓」

新聞発行部数は１９９５年ころ、日本全体で７０００万部を超えていたが、現在は３０００万部余と半分以下にまで落ち込んでいるという。一貫して右肩下がりが続いているが、近年は下がり幅が特に大きくなっている。

専修大学文学部ジャーナリズム学科の山田健太教授（言論法）は紙の新聞の激減が民主主義崩壊の危機だという。

新聞の売り上げが減ったのは新聞以外でもニュースを知ることができたからである。近年はＳＮＳやネットの普及で新聞以外で多くの情報を得ることができるようになった。だから、新聞の売り上げが下がり続けたのである。新聞の発行部数が落ちたからといって新聞が与えていた情報が世の中で減ったというわけではない。むしろ増えた。「紙」の新聞に代わる社会への窓が増えたのだから民主主義崩壊の危機ではなく民主主義発展の拡大である。

ツイッター、ユーチューブ、ブログなど市民の主張が直接できるようになったのは民主主義の大きな発展である。紙の新聞ではジャーナリストの主張だけが一方的に市民に押し付けるだけであった。しかし、現在は市民が堂々と意見を述べることができる。表現の自由がジャーナリストだけの特権ではなくなった。表現の自由が広がり民主主義は発展しているのだ。それはジャーナリストが独占していた表現の世界が解放されたことである。それを民主主義崩壊の危機というのである。民主主義崩壊ではなくてジャーナリスト独裁の崩壊である。ジャーナリスト独裁の崩壊が起こったのがキャンプ・シュワブであった。

ひろゆき氏がキャンプ・シュワブのゲート前を訪れたところ、基地建設反対の座り込み抗議の参加者が誰もいなかった。抗議日数3011日と書かれた掲示板と笑顔の写真付きでひろゆき氏は「0日にした方がよくない?」とツイートをした。ひろゆき氏のツイートが拡散し賛否の意見が飛び交った。多くの市民はひろゆき氏に賛成した。一方、沖縄の新聞タイムスや新報は反発し、本土の朝日や毎日などはひろゆき氏を批判した。

ひろゆき氏のツイートへの「いいね」のリツイートは30万件を超えた。市民は圧倒的にひろゆき氏に賛同したのだ。この事実に対してタイムスはシュワブの座り込み運動のリーダーの意見を掲載している。

山城氏は「沖縄に犠牲を押し付けながら何の自省もない、倫理観の底が抜けた日本の現状を表している。こうしたソフトな形の侮辱が、直接的な暴力を扇動することを懸念する」と語った。(沖縄タイムス)

タイムスは謝罪と撤回の考えがあるかを尋ねたが、返信はなかったという。中立の立場でなければならないマスコミが市民の意見に謝罪と撤回を求めたのである。タイムスは明らかに辺野古移設反対イデオロギーに縛られてマスコミとしての中立性を失っている。

週刊朝日はひろゆき氏のツイートから広がった市民の意見を「沖縄が、また笑われている」と判断してひろゆき氏や賛同者を批判している。タイムスや朝日は正しく、素人であるひろゆき氏は正しくない。ひろゆき氏に賛同する市民は愚かだとタイムスと朝日は決めつけている。

現代の若者は米軍基地問題への関心が薄れている。佐藤教授の基地問題のゼミ生はとても少なく、来年は開かない。すると少ないことが間違っていると主張するのが朝日のジャーナリストである。ジャーナリスなら事実を認め、少ない原因を追究するべきである。

1968年に嘉手納飛行場にB-52が墜落爆発した。爆発で住宅の窓ガラスが吹き飛んだ。戦争が起こったと住民は思った。嘉手納飛行場から離れている私の実家も揺れ、爆発音はすごかったという。このことがあり私は学生運動に参加した。学科委員長にもなった。

B52撤去 3万人結集

多くの市民がB-52撤去運動に参加した。
那覇市の国際通りでカンパ運動をすると「私たちの分も頑張って」と多くの市民がカンパした。信じられないほどの金額のカンパだった。
道路一杯のデモ隊が続いた。後ろを見るとはるかかなたまでデモ隊が続いているのが見え、感動した。私は金網を蹴り飛ばした。

米軍は嘉手納飛行場からB－52を撤去した。

学生の頃の私であっても辺野古基地建設に反対しない。宜野湾市民の安全のための普天間飛行場移設だからだ。辺野古移設反対埋没のジャーナリスト独裁に民主主義の痛烈な弾を投げたのがひろあき氏のツイートである。

12月21日

「沖縄をあざ笑うひろゆき氏」 朝日に続いて毎日もジャーナリスト独裁主義に固執している

毎日新聞は毎日と同じ思想である沖縄大学非常勤講師の親川志奈子氏の主張を掲載した。親川氏は、

「辺野古（沖縄県名護市）の座り込みを揶揄（やゆ）するひろゆき氏のツイートは、日本にとって沖縄があざ笑う対象であることを沖縄に再認識させた」

とひろゆき氏が日本、座り込みを沖縄と決めつけて、日本にとって沖縄はあざわらう対象であると主張している。

ツイートが日本国民におよぼす影響はマスメディアよりも大きいということである。だから、マスメディアが伝えるキャンプ・シュワブの座り込み運動よりひろゆき氏の揶揄のツイートの内容が日本国民に広がったのだ。ただツイートにはひろゆき氏のツイートだけでなく朝日や毎日のツイートも多い。ツイートは新聞社や週刊誌、専門誌などの記事も掲載されている。会社と市民の意見を平等に扱っているのがツイートである。

ひろゆき氏のツイートが日本が沖縄をあざ笑っていると毎日が思うのは毎日の主張よりひろゆき氏の主張が市

民に受け入れられたということである。ひろゆき氏の意見のほうが多くの国民に受け入れられているから民主的であるということになる。国民に受け入れられていない毎日の主張は非民主的であるということになる。そのことを間接的に認めているということである。

毎日が掲載したのは「親川氏の沖縄をあざ笑うひろゆき氏 冷笑の裏にある植民地主義」である。

親川氏は「沖縄に基地が集中している現状は、沖縄にいれば毎日目の当たりにするからひしひしとわかるが」と述べている。それは事実ではない。嘘である。沖縄に居ても多くの人は米軍基地を目のあたりにすることはない。親川氏は沖縄大学の非常班である。沖縄大学は那覇市にある。親川氏ほとんどの日々で米軍基地を見ていないはずである。那覇市のはずれには那覇軍港があるが、普通の港であり静かである。民間の港と同じである。周囲に住宅はない。歩いている人もいない。国道で素通りするだけである。

「毎日目のあたりにする」「ひしひしと分かる」は嘘である。でっち上げである。私のように嘉手納飛行場の近くに住んでいるなら親川氏の言う通りであるが、沖縄全体からみれば米軍基地の存在を感じない地域の方が非常に多い。それに米軍基地は嘉手納飛行場や普天間飛行場以外は静かである。座り込みをしているキャンプ・シュワブに行けば分かる。キャンプ・シュワブの周囲はほとんどが緑の木々であり、静かである。読谷には嘉手納弾薬庫があるが緑の木々が植わっている森になって、多くの野鳥が棲んでいる。普天間飛行場を嘉手納弾薬庫に移設する案が出た時、読谷村は自然が破壊されるからといって反対したくらい、弾薬庫は自然が豊かである。

親川氏は、

「辺野古（沖縄県名護市）の座り込みを揶揄（やゆ）するひろゆき氏のツイートは、日本にとって沖縄があざ笑う対象であることを沖縄に再認識させた」

と述べている。あまりのひどい親川氏の思い込みである。ひろゆき氏はシュワブの座り込みを揶揄したのではない看板の日数の書き方を揶揄しただけである。ひろゆき氏の行為を正確に理解していない親川氏である。ひろゆき氏は看板の座り込み日数の書き方がおかしいと言っただけであるのに親川氏は座り込みを揶揄したと決めつけている。親川氏の被害妄想である。被害妄想は拡大し、日本が沖縄をあざ笑っていると妄想するのである。

親川氏の妄想はシュワブの座り込みを沖縄だと思っていることである。シュワブの座り込みは沖縄と本土の左翼の運動であって、沖縄の運動ではない。ところが親川氏は沖縄の運動だと思い込んでいる。だから、ひろゆき氏は沖縄をあざ笑っていると妄想するのである。ひろゆき氏があざ笑っているのは現実の沖縄ではない。親川氏の頭が妄想している沖縄である。親川氏のいう沖縄は親川氏の妄想がつくりあげた沖縄なのだ。ひろゆき氏も日本も親川氏の妄想の中の世界である。

親川氏の妄想では、

「あざ笑うことによって仲間が出てくる。そこに一緒に乗れる人たち、お客さんがいて、沖縄をあざ笑うことで得られる利益がある。沖縄はたたいても大丈夫な対象で、沖縄をあざ笑うことで評価される一定の客層がいるということを、沖縄は見せつけられた。ひろゆき氏のツイートが実際に何十万といういいねをたたき出すことを見せられ、沖縄をあざ笑うことはこれだけの人に受けるということを見せつけられた」

ということになる。ひろゆき氏に賛同するツイートは「あざ笑う」ではない。ひろゆき氏のツイートに賛同したのは仲間ではない。お客さんでもない。賛同した市民に利益はない。客層でもない。自由に自分の意見を述べた市民なのだ。被害妄想の親川氏は沖縄をあざ笑っていると思うのである。何十万といういいねこそが市民の意見であり、親川氏の妄想の中の沖縄をいいねという市民は圧倒的に少ないということである。

圧倒的市民の意見を否定し、自分の主張を市民に強制する毎日はジャーナリスト独裁にしがみついて、民主主義から離れている。

12月21日

ひろゆき氏、毎日新聞記事に反論　市民が鋭いコメント　これこそ民主主義意見

ひろゆき氏が沖縄をあざ笑うなと批判する毎日新聞記事に反論した。「変な反対活動を指摘するとなぜ沖縄全体をあざ笑う事になるのだろう」と反論した。

ひろゆき氏は「平日に15分座るのを3回、雨や雪だと休みなのに『座り込み』が継続してるかのように書くのは間違いじゃない?という指摘がどうしても沖縄を笑うことになるのかわからないです。」と指摘したうえで、「変な反対活動を指摘するとなぜ沖縄全体をあざ笑う事になるのだろう。沖縄には、変な活動家しか住んでないのかな?」と持論を展開した。

ひろゆき氏の指摘する通りである。ひろゆき氏の指摘はキャンプ・シュワブの座り込みと立て看板の内容的なずれを指摘しただけであって沖縄全体とは関係がない。それなのに沖縄全体と関係あるとみなすのはまともな活動家ではない。変な活動家である。

ひろゆき氏の主張は今まで述べたことである。新たな意見はない。注目すべきはひろゆき氏へのコメントであ

る。コメントで新聞社が独裁であることを市民が述べている。

ひろゆき氏のツイートへ投稿したコメント

○どうして新聞は事実を報道しないのかな！？私は、ひろゆきさんに感謝してる。本当のことを報道していただいたので今までのモヤモヤがスッキリしましたー！」

新聞が事実を報道しないのを市民は知っているのだ。新聞は一方的に市民に新聞の主観的な情報を流す。あたかも客観的であるかのように。記者も客観的な立場になって報道していると錯覚している。しかし、実際は新聞社、記者の主観によって報道しているのだ。嘘の報道に気づいた市民がいても市民に報道を批判することはできない。発表する場がないからだ。ネットがあるが新聞のほうが圧倒的に情報を流すこととができる。

有名なひろゆき氏がツイートしたから多くの市民の意見がひろゆき氏のツイートを通じて世間の目に触れることができるようになったのである。

○沖縄じゃなぜか容認されてる感じになってるけどあの座り込みって道交法違反と威力業務妨害なんですけどね。なぜか容認されてる感じになってるけど。

日本は法治国家である。国道沿いでの座り込みは道交法違反と威力業務妨害である。違法行為を堂々とやっているのがシュワブの座り込みである。辺野古移設反対派は国道を占拠するデモをやり、国道で県民大会もやった。県民大会には県知事、国会議員も参加した。国道で県民大会をするなんて考えられないことである。沖縄警察もおかしい。沖縄はおかしい。

○ひろゆきさんのお陰でメディアが公平中立ではなく自分達の意向に合わせて湾曲したニュースを流す機関であることが鮮明になりました。

メディアは公平中立であると信じていた市民もひろゆき氏のツイッターを見て、公平中立ではないことを知った。そして、自分が思ったことをコメントすることができた。ツイッターは市民の視界を広げたのである。一方的な情報を流す新聞よりツイッターは民主的である。

○必要以上に騒ぐ事で誰にも触れられない聖域と化す事を狙っているのでしょうが、この現代においてそれは通用しないって事をこのお年寄り達は理解していません。

現代においては誰にも触れられない聖域をつくることはできない。シュワブの老人たちはそのことを理解してワブの座り込みは少数である。減るだけで増えることはない。的確な指摘である。

ひろゆき氏のツイッターへのコメントを見れば、ひろゆき氏を盲目的には信じていないことが分かる。。彼らはしっかりと自分の考えをコメントしている。

沖縄大学非常勤講師の親川志奈子氏は

「あざ笑うことによって仲間が出てくる。そこに一緒に乗れる人たち、お客さんがいて、沖縄をあざ笑うことで得られる利益がある。沖縄はたたいても大丈夫な対象で、沖縄をあざ笑うことで評価される一定の客層がいるということを、沖縄は見せつけられた。ひろゆき氏のツイートが実際に何十万といういいねをたたき出すことを見せられ、沖縄をあざ笑うことはこれだけの人に受けるということを見せつけられた」

と述べているが、コメントをみれば親川氏が間違っていることがはっきりと分かる。

ひろゆき氏のツイートにコメントしたのはひろゆき氏の仲間ではない。お客さんでもない。客層でもない。自分の意見を自由に述べた市民である。

市民のコメントを見れば、マスメディアがニュースを歪曲し、マスメディアの主張を一方的市民に押し付けることができる時代は終焉したことを感じさせる。

12月22日

自衛隊は23万1769人　米軍は4万4480人　それで米軍が日本を防衛しているというのか

国土の約0・6％しかない沖縄県に、日本の米軍基地の約70％が存在しているという。沖縄の米軍基地が日本を防衛している。県民が危険にさらされているというのが定着している。沖縄に米軍基地と日本防衛の話では自衛隊は登場してこない。日本防衛について話す時は米軍だけでなく自衛隊についても書くべきである。しかし、書かない。書くと自衛隊の存在が大きくなり、米軍の存在が小さくなるからである。

米軍基地の70％が沖縄に集中しているというのは米軍専用の基地だけを対象にしているからである。米軍は自衛隊と共用している基地がある。共用施設を含むと沖縄の基地は19％である。米軍の軍事訓練は自衛隊と共用の北海道の基地でやっている。狭い沖縄では本格的な軍事演習はできない。共用の基地を含めると一番大きいのは北海道である。沖縄ではない。

在日米軍基地面積の比較[23][24]

所在	『専用施設』			共同使用施設を含む『米軍施設』		
	面積 (km²)	全国の『専用施設』に占める割合	都道府県面積（国土）に対する割合	面積 (km²)	全国の『米軍施設』に占める割合	都道府県面積（国土）に対する割合
沖縄	184.944	70.27%	8.11%	187,082	19.09%	8.23%
沖縄以外	78.231	29.73%	0.02%	793,320	80.90%	0.21%
全国	263.176	100%	0.07%	980,402	100%	0.21%

本土と沖縄の在日米軍規模の比較

所在	軍人	軍属	家族	合計
本土	2万2,078	2,770	2万4,406	4万9,254
沖縄	2万2,772	2,308	1万9,883	4万4,963
合計	4万4,850	5,078	4万4,289	9万4,217

自衛官総数は、23万1769人。米軍人は4万4850人である。

自衛隊は米軍の5倍以上である。基地も米軍より自衛隊の方がはるかに多い。日本の防衛は自衛隊と米軍がやっているが軍事力は自衛隊のほうが上である。米軍は自衛隊より戦力が劣っている。沖縄の米軍が防衛しているというのは間違っている。

国土の約0・6％しかない沖縄に、日本の米軍基地の約70％が存在していると吹聴するのは、沖縄の米軍を誇張し、米軍基地撤去運動を展開するためである。

ウクライナ戦争で米国が民主主義国家ウクライナを軍事支援している。多くの民主主義国家がウクライナを支援しているが米国は群を抜いている。米国が民主主義を徹底して守る国であることを私たちに見せたのがウクライナ戦争である。

沖縄の米軍基地は日本だけでなく韓国、台湾、フィリピンなどのアジアの民主主義国家を守る存在である。民主主義を守るために存在している米軍基地であることを理解するべきである。

ウクライナに米軍基地があったらロシアはウクライナ

に侵攻しなかっただろう。世界最強の米軍とは戦争したくないからだ。沖縄は戦後75年間も戦争にならなかった。戦争になる恐れも全然なかった。米軍基地が存在していたからである。米国が統治していた復帰前は尖閣に中国船が潜入したことは一度もなかった。

日本の防衛を担っているのは自衛隊である。米軍はアジアの民主主義を防衛している。

おなじみの山城博治共同代表が、戦争に反対する全県組織の結成を提案した。参加者たちも「全県的に大きなうねりをつくる必要がある」と賛同した。多いに盛り上がっているように見えるが、集まっているのは老人たちである。

老人の集まり　少数であることを認めるまでになった左翼

「ノーモア沖縄戦命どぅ宝の会」の呼びかけで、戦争に反対する全県組織の立ち上げに向けた第一回準備会合を21日夜、那覇市の教育福祉会館で開いた。掲げるテーマが違うだけで集まったのはキャンプ・シュワブで座り込み運動を扇動している活動家たちだ。だから共同代表もシュワブと同じ山城博治氏である。

12月23日

絶対に大きなうねりになれない老人たちの新たな運動

安保関連3文書の閣議決定とミサイル配備で、沖縄が軍事対立の最前線となる懸念が高まるとして、反対する全県組織の立ち上げを目指した集会が21日、那覇市の教育福祉会館で開かれた。山城博治共同代表は戦争に反対する全県組織の結成を提案した。参加者たちは「全県的に大きなうねりをつくる必要がある」と賛同した。

キャンプ・シュワブの座り込み運動に見られるように大きなうねりをつくれる能力を彼らは失っている。失っていることを認める発言があった。

「会合に若い世代が参加していない」

である。シュワブの座り込みは老人がほとんどである。彼らは75年前の沖縄戦の悲惨さだけを理由に米軍基地建設に反対して座り込みをしている。老人のこだわりを若者におしつけるだけでは若者を参加させることはできない。「抑止は必要だ」という意見が県民にあることを知りながら抑止の必要性を理解しないのが彼らである。若者に賛同されない老人たちの運動が全県的に大きなうねりになることはない。

沖縄戦前年の10・10空襲や翌年の地上戦を経験した「9・29県民大会決議を実現させる会」会員の玉寄哲永さんは、「沖縄戦の惨状を見れば軍備強化は抑止にならない」と強調したという。体験絶対主義である。

沖縄戦になった原因は日本の軍事力が米国の軍事力に劣っていたからである。もし、日本の軍事力が勝っていたら米軍を撃退し沖縄戦にはならなかった。それに敗戦が必死となっても日本軍が政権を握っている日本は降伏しなかった。もし、米軍がフィリピン、台湾を制圧していた時に敗北を宣言していたら沖縄戦はなかった。このことは高校生の授業で教わったことである。そんなことを知らないで沖縄戦で体験したことを絶対視しているのがこの会合に集まった老人たちである。彼らは現在起こっているウクライナ戦争に目を向けることはない。70年以上も前の沖縄戦だけに目を向けている。若者は70年以上も前の沖縄戦だけでなく、ウクライナ戦争にも目を向けている。ロシアがウクライナに侵攻したのは数日でウクライナを陥落させることができると思っていたからだ。ウクライナの軍事力は非常に弱いと見たから侵攻したのである。もし、ウクライナの軍事が強いと思えば侵攻しなかったはずである。このことは何度も報道されているから多くの若者は知っている。だから、「抑止は必要」と思うのだ。沖縄戦の悲惨な体験だけにこだわっている老人たちの運動が全県的になることはない。

12月27日

安保関連3文書批判に90歳以上の戦争体験者を利用した琉球新報

琉球新報は安保関連3文書の閣議批判に90歳を超す沖縄戦体験者などの老人を登場させた。

沖縄戦で砲弾が飛び交う中を逃げ惑った翁長安子さん(93)、名桜大学学長も務め、現在は沖縄戦体験の継承に力を注ぐ瀬名波栄喜さん(94)、は疎開先の台湾で学徒兵として動員され、戦後は小学校教員として平和主義の大切さを説いてきた宮城政三郎さん(94)、佐渡山照子さん(91)である。

90歳を超す老人たちが安保関連3文書を読み、内容を理解した上で新報に自分の意見を述べたのか。彼らは安保関連3文書を本当に理解したのか。考えられない。

「人殺しのために税金を使うなんて許せない。(そもそも)戦をしなければいいわけよ」「弾の雨あられの中をどれだけの人が死んでいったか。訓練をしても全く意味がない。命を大切にしてほしい」戦争を前提に軍備強化することに納得できない。日本は二度と戦争を起こしてはいけない」・・老人たちは反戦平和を主張するだけ。

沖縄戦体験の老人たちも安保関連3文書に反対していると県民に信じさせるための新報の演出としか思えない。

12月29日

「戦没者の遺骨が混じる可能性がある土砂」は真っ赤な嘘　だから、デニー知事は採掘届を受理せざるを得なかった

沖縄県糸満市米須の土砂採掘を巡り、県が業者からの採掘届け出を受理した。辺野古基地建設に反対であるデニー知事の県政が受理したのである。デニー知事は米須の土砂を辺野古埋め立てに使うことを認めたのである。今までデニー知事は辺野古埋め立てに関する政府の申請を全て拒否した。だから、米須の土砂採掘も拒否するはずである。しかし、違った。受理した。

沖縄戦遺骨収集ボランティア「ガマフヤー」の具志堅隆松代表は「チルダイ（落胆）」した。辺野古移設に反対し政府と対立している玉城デニー知事が受理したのを具志堅氏は信じられないだろう。「デニー知事がどう考えているのかを問いたい」と述べている。

デニー知事はなぜ受理したのか。受理すれば辺野古移設に賛成していると思われる可能性がある。選挙公約で掲げた辺野古移設反対が疑われるだろう。オール沖縄から反発されるかもしれない。それにも関わらずデニー知事は採掘届を受理したのである。辺野古移設反対派の支持を失うかも知れないのにだ。なぜデニー知事は受理したのか。理由はガマフヤー植松の「戦没者の遺骨が混じる可能性がある土砂を埋め立てに使用する」は真っ赤な嘘だからである。

鉱山の開発を計画する沖縄土石工業の永山盛也代表は、「出荷するのは土砂ではなく琉球石灰岩であり、遺骨が混じることは絶対にない」と断言している。鉱山の表面にある土砂は取り除き、下にある石灰岩を採取するのである。石灰岩に遺骨が含まれることはない。永山代表はもし県が受理しなかったら訴訟すると断言していた。裁判になれば確実に県が敗北するだろう。

政府との裁判に負けたら地方自治を政府は差別していると政府を批判することができる。しかし、民間との裁判で負けると県が民間を差別していると思われる。デニー知事のイメージが悪くなる。県民の支持を維持するためには敗北確実の民間との裁判を避けるべきである。だから、採掘届を受理したのである。

ガマフヤー具志堅を信じた遺族や市民団体は落胆し、具志堅を信用しなくなるだろう。真っ赤な嘘による糸満市米須の採掘阻止運動は県の採掘届受理で終わった。植松は悪あがきするだろうが、今月31日以降に採掘工事が可能になる。来年採掘が始まれば完全な終焉である。

１２月３０日

辺野古移設反対派は嘘を県民に信じさせて巻き込んでいる　でも破綻する運命にある

○ガマフヤー具志堅隆松は沖縄戦で犠牲になった人の遺骨が眠る本島南部の土砂が辺野古新基地建設の埋め立てに使われようとしていると主張し続けている。具志堅氏は国連でも訴えた。

埋め立てに使用するのは土砂の下にある石灰岩である。土砂は埋め立てに使用しない。だから、具志堅氏は嘘をついている。

遺骨が残る可能性がある南部の土砂の使用中止などを求め、県内外の２２７議会が意見書を可決したという。ガマフヤー具志堅隆松代表は県内外の１７４３の地方議会に意見書の可決を促す要望書を送付した。１７４３の地方議会の中で可決したのはわずか２２７自治会であった。具志堅の意見書を支持しない自治体が圧倒的に多いということだ。

○辺野古を埋め立てれば汚染されて、魚やジュゴンは棲めなくなるし。サンゴは死滅する。

嘘である。日本には公有水面埋立法がある。汚染しないための厳しい規則がある。汚染を信じた県民は反対していたが、埋め立て工事が始まり、汚染しないことが明らかになると反対する県民は減っていった。

○有事になれば辺野古新基地はミサイル攻撃される。

ミサイル攻撃されるのは辺野古新基地だけではない。沖縄の軍事基地すべてが攻撃される。辺野古新基地ができなかったら普天間飛行場がミサイル攻撃される。だがそのことは言わない。あたかも建設予定の辺野古新基地だけがミサイル攻撃されるように言う。

辺野古移設反対派は移設すれば辺野古の海が汚染される、沖縄戦犠牲者の遺骨が埋め立てに使用される、有事の時ミサイル攻撃されるなどと、県民に嘘をばらまいて、移設反対運動を展開してきた。

反対派の嘘は最初は信じられる。しかし、年月が経てば次第に嘘の皮が剥がれていく。嘘を信じない県民が増えていく。県民の支持は減少していく。いつまでも騙し続けることができると思ったら間違いである。

なぜ、嘘をついてまで移設反対運動をするのか。移設反対運動をしている本来の目的は沖縄の米軍基撤去である。辺野古移設を中止したら反対派の運動が終わるかといえばそうではない。次に普天間飛行場撤去運動を展開する。嘉手納飛行場など他の米軍基地撤去を主張するだろう。反対派は辺野古に米軍基地を建設するのに反対である。普天間飛行場の移設であっても反対である。移設反対と言えばインパクトが小さいので新基地建設反対と言っている。

彼らの目的は沖縄の米軍基地を全て撤去するのが目的だ。だから、辺野古基地が普天間飛行場の移設であっても反対なのだ。反対派の根底は米軍基地撤去である。

嘘をついて県民を騙してでも辺野古移設阻止をしたいのが反対派である。

１２月３０日

ガマフヤー具志堅が正しいか　土石工業の永山代表が正しいか　沖縄2紙がはっきりさせるべき

問題になっているのは土砂の中に沖縄戦被害者の遺骨が混じっているか混じっていないかではない。土砂が辺野古の埋立てに使われるか使われないかである。ガマフヤー具志堅は使うと主張している。しかし、採掘する永山代表は使わないと言っている。どっちが正しいのか。もし、土砂を使うとすれば、遺骨が混じっている土砂を埋め立てに使うことになる。しかし、土砂を使わないで石灰岩だけを使うとすれば遺骨は埋め立てに使われない。県内外の２２７議会が可決した意見書は土砂の使用中止である。石灰岩の使用中止ではない。

土砂を埋め立てに使用するのかしないのか。それが問題である。それを調べることができるのがマスメディアである。採掘業者から採掘から埋め立てまでの過程を詳しく聞けば分かることである。タイムスと新報は採掘業者から詳しい情報収集をするべきだ。そして、客観的な事実を報道するべきである。

客観的な立場からどちらが正しいかを報道する。ここにこそマスメディアの存在価値がある。採掘するのは沖縄の業者である。採掘届を受理するのは沖縄の県政である。反対しているの具志堅氏は沖縄人である。これは沖縄の問題である。沖縄の2紙は土砂が埋め立てに使用されるかされないかを明らかにすることができる。

沖縄2紙は調査して土砂を使用するか否かをはっきりするべきだ。調査しなければ採掘工事が進んでいくことによって明らかになる。それは辺野古埋め立て工事の時と同じである。埋め立て工事によって埋め立て反対派の嘘がばれた。今度も同じことになるのか・・・。

1月1日

タイムス社説よ　ウクライナの国民が武器を捨て、平和への祈りをすれば平和になれるというのか

沖縄タイムスの新年社説である。

今、必要なのは憲法制定時の志を生かしていく具体的な取り組みだ。

敵味方の別なく沖縄戦で亡くなった人たちの名を刻む「平和の礎」。そこには二度と戦争を起こしてはならないという沖縄の人々の祈念が刻み込まれている。

昨年6月、市民グループが礎に刻まれた戦没者全員の名前を読み上げる取り組みを行った。そうやって一人一人のかけがえのない命、戦場で失われてしまった命に触れているのである。

そのようなことの積み重ねを通して、沖縄に「平和の文化」を根付かせたい。

私たちは今年を「非戦・平和創造元年」と位置付け、紙面を通して戦争を回避するための機運づくりを進めていきたい。

タイムス社説

ウクライナは戦争中である。戦争はロシア軍がウクライナに侵攻したからだ。タイムスはウクライナ国民が武器を持たず「二度と戦争を起こしてはならない」平和の祈りをしていたらロシアは侵攻しないでウクライナ戦争は起こらなかったというのか。

武器を捨て平和の祈りをしていたらロシアは侵攻しなかったというのはあり得ないことである。ウクライナが武器を捨てていたら数日でウクライナ全土がロシアに支配されていただろう。ウクライナ戦争が教えたのは軍事力が弱ければ侵攻されることである。ウクライナは武器があり、国民も立ち上がりロシア軍と戦っている。タイムス社説の主張するような「二度と戦争を起こしてはならない」と祈るだけでは平和を勝ち取ることはできない。それを教えたのがウクライナ戦争なのだ。

沖縄は戦後75年間戦争がなかった。戦争がなく平和だったから敵味方の別なく沖縄戦で亡くなった人たちの名を刻む「平和の礎」を建設することができたのである。ベトナム戦争などアジアで多くの戦争があった。しかし、沖縄が戦争に巻き込まれたことは一度もなかった。それは米軍基地があったからである。軍事力が強ければ侵攻されない。ウクライナと沖縄の違いである。

タイムス社説よ！

反戦平和の祈りをしたから沖縄が平和ではない。沖縄が平和だから平和の祈りをすることができるのだ。

12月6日

台湾民進党の統一地方選大敗と辺野古移設反対派の7市長選全敗は原因が同じである

11月26日に実施された台湾統一地方選で、与党・民進党が大敗したという。今年8月に中国はペロシ・米下院議長の訪問を不満として大規模な軍事演習を行った。台湾国民が中国に危機感を抱いているニュースは何度も放映された。一つの中国に反対し中国とは対峙する姿勢の蔡英文政権の民進党が勝利すると思われていたが大敗した。民進党大敗ですぐに頭に浮かんだの辺野古移設反対派の7市長選全敗だった。

選挙で投票したのは地方の市民である。彼らは政治の専門家ではない。普通の人たちである。中国の習近平政権や米国政府が台湾とどのように関わっているかに強い関心がある人は少ない。習政権に危機感を抱き、米政府と親しくして台湾の安全を守るべきであると真剣に考えている市民は少ないだろう。それよりも今日明日の生活が豊かになることを望む市民が多い。地方選で勝利するには地方の生活を豊かにする政策が重要である。

米国から多くの議員が台湾に来て蔡英文総統と会談し、台湾の安全を守る協議を重ねた。台湾の安全のためには重要であるが、地方の人々の生活には関係のないことである。蔡総統や民進党が台湾の安全を守るために外国と協力する努力は重要なことではあるが、それだけでは地方選挙を勝つことはできない。勝つには地方に住む人々が歓迎する政治をしなければならない。

与党である民進党が敗北した原因は地方の人々が納得する政策を実施しなかったからだ。生活を豊かにする政策を疎かにすれば選挙に勝てるはずがない。民進党が地方選で敗北したのは生活向上の政策を疎かにしたからである。それは沖縄県の市長選で7連敗した辺野古移設反対派左翼の敗北と同じである。

辺野古移設反対派は共産党、社民党などの左翼であり反米主義である。台湾の民進党は親米主義である。反米と親米で政治姿勢は逆であるが、主義を優先させて人々の生活を軽視していることは共通している。だから、選挙に負けたのである。

国民主権の議会制民主主義は生活を発展させる政治をしない政党が与党になることはない。それが議会制民主主義の本質である。でも、現実は頭のいい政治家でもその本質を忘れて落選する政治家は多い。特に左翼の政治家に多い。共産党、社民党は絶対に与党になれない。

１２月１７日

日本の民主主義、法治主義を知らない田原総一朗の『オール沖縄』市長選7戦全敗も辺野古容認ではない」はアホらしい

辺野古移設問題について調べていくうちに知ったのは日本は地方自治体の権利が予想以上に強いことであった。普天間飛行場を名護市に移設するには名護市長の合意がなければ移設できない。合意なしに移設すれば違法行為であり警察が政府を取り締まるのである。日本は地方自治体の権利が強いのだ。

島袋名護市長は辺野古移設に徹底して反対していた。飛行機の離着陸の時に名護市や宜野座村の住宅の上を飛ぶからだ。政府の辺野古移設に反対を続けていた島袋市長は官邸に呼ばれて防衛大臣などに脅迫に近い説得をされた。しかし、島袋市長は頑として首を縦に振らなかった。交渉は決裂したと考えた島袋市長は立ち上がって帰ろうとした。その時に政府は最後の手段として住宅の上を飛ばないためのＶ字型滑走路を提案した。Ｖ字型案を持ち帰った島袋市長は議論を重ねて政府の要請を受け入れた。政府と島袋市長は辺野古移設に合意したのである。２００６年である。

普天間行場移設案で合意、会見後握手する額賀防衛庁長官（左）と島袋名護市長＝２００６年４月７日午後９時14分、防衛庁（当時）

仲井真元知事も埋め立てを政府と合意した。２０１３年のことである。

田原総一朗氏はオール沖縄が市長選7戦全敗したよう

に、オール沖縄がかつてほどの一枚岩ではなくなったのかもしれないが、沖縄県民の多くが辺野古やむなしとの考え方を変えたわけではないと主張する。であれば、県民が変えていない根拠を説明するかと思えば予想に反してしない。県民が代えていないことを説明するのではなく、
「何としても取り上げておかねばならないのは、日米地位協定の存在である」と日米地位協定を問題にする。日米地位協定と辺野古移設は関係がない。ところが田原氏は強引に結びつけるのである。関係ないことを強引に結びつけるために話をでっち上げる。

民主党政権で最初の首相となった鳩山由紀夫氏は、沖縄県民の大多数が普天間飛行場の移設先を国外、あるいは県外に求めていることを知って、「移設先は辺野古ではなく、最低でも県外にする」と宣言した。

鳩山氏は移設先として徳之島を考えていたようだ。ところが、そのことを知った外務省と防衛省の幹部が、鳩山氏に日米地位協定の説明をした。
『オール沖縄』市長選7戦全敗も辺野古容認ではない」

県外移設を最初にやろうとしたのは小泉首相である。しかし、普天間飛行場を受け入れる自治体はひとつもなかった。当然である。普天間飛行場移設の原因は米兵による少女への性暴行である。性暴行する米兵の軍隊を受け入れる自治体があるはずはない。

県外移設は絶対に無理であることは小泉首相がやる前から知っていた。県外移設ができなかったので小泉首相は辺野古移設に戻ったのである。この事実を田原氏が知らないはずはない。確実に知っている。

しかし、鳩山首相はこのことを知らなかった。信じられないことであるが本当である。だから、県外移設ができると思って県民に宣言して県外移設を目指した。私は知らないことに驚いた。彼が首相になったのは莫大なお金を持っているからだと知った。政治センスはゼロ以下マイナスだつた鳩山首相であった。。

鳩山首相は県外移設場所候補地を次々と取り上げたが、全て駄目だった。苦し紛れに離島の徳之島を候補地にしようとしたが駄目だった。県外移設ができる場所を鳩山首相は見つけることができなかった。だから、辺野古に戻ったのである。

ところが田原氏は移設できなかった理由を日米地位協定が原因であるという。

日米地位協定によって、日米合同委員会なるものが設置されていて、その委員会で米国が定めた内容は、首相

といえども否定できないことになっている。そして、その委員会で、米国は普天間飛行場の移設先を辺野古と定めている。首相といえども辺野古を否定はできないのだ、というのである。

『オール沖縄』市長選7戦全敗も辺野古容認ではない」

普天間飛行場の移設先を辺野古に決めたのは米国ではない。日本政府である。橋本首相の時に普天間飛行場を移設する決心をした。橋下首相が米国を説得して移設を承諾させた。小泉首相の時に辺野古の海上に移設しようとしたが反対派の妨害でできなかった。稲嶺知事の要求もあって県外仮設をしようとしたができなかった。最終的に辺野古のキャンプ・シュワブの沿岸に移設することにした。辺野古移設が決まるまで日米合同委員会は登場しない。日本政府は米国を説得して辺野古移設を了承させたというのが事実である。断言できる。

日本は間接民主主義国家である。法律を制定するのは選挙で選ばれた議員が国会で制定する。制定された法律に従って政治を行うのが内閣である。政治決定は内閣がやる。日米合同委員会はやらない。できない。

鹿児島県に馬毛島（まげしま）という無人島がある。

１０年以上前に政府は馬毛島に滑走路をつくり、米軍と自衛隊の戦闘機の離着陸訓練する計画を立てた。しかし、まだ実現していない。実現していないのは馬毛島の地元・西之表市の市長が承諾していないからである。たとえ、鹿児島県知事が賛成しても西之表市長が反対であれば飛行場建設はできない。容認するか否かの権限は県知事ではなく市長にあるからだ。日米政府は西之表市長を反対を権力で押しつぶして強引に建設することはできない。日本は地方自治権を認める民主主義国家だからだ。

日米合同委員会は専門家が会議をして政府にアドバイスする組織である。政治決定ができる組織ではない。日米合同委員会が決めたことは首相といえども否定できないという田原氏の考えは間違っている。そもそも辺野古移設の決定は日米地位協定には関係ない。

日米地位協定は、日米安全保障条約の目的達成のために日本に駐留する米軍との円滑な行動を確保するため、米軍による日本における施設・区域の使用と日本における米軍の地位について規定したものである。在日米軍が日本国内で円滑に活動できるようにするために特別な権利を定めた協定だ。

地位協定は28条で構成される。

2条で日本国内の基地使用を米側に認め、

3条で基地内の管理・運営などのために米側が「必要なすべての措置を執ることができる」としている。

基地返還時に米軍が原状回復義務を負わない

▽米軍の船舶・航空機・車両や米軍関係者とその家族が基地間の移動を自由にできる

▽米軍人は出入国管理法の適用から除外され旅券や査証(ビザ)なしで日本に出入りできる

▽米軍が日本に持ち込む品に関税を課さない

▽米軍関係者による公務中の犯罪は米軍が裁判権をもつといった取り決めもある。協定に実効性をもたせるため複数の特別法も制定されている。

1995年(平成7年)9月4日に沖縄県に駐留するアメリカ海兵隊員2名とアメリカ海軍軍人1名の計3名が、女子小学生(12)を拉致した上集団婦女暴行した、"起訴に至らなければ、関与が明らかでもアメリカ兵の身柄を日本側に引き渡すことができない"という日米地位協定の取り決めによって、実行犯である3人が引き渡されなかったことが大きな問題になった。これが地位協定問題である。

実行犯が引き渡されない決定に対し、沖縄県民の間に燻っていた反基地感情及び反米感情が一気に爆発し、同協定の見直しのみならず、アメリカ軍基地の縮小・撤廃要求運動にまで発展する契機となった。

1996年(平成8年)3月7日、那覇地方裁判所は3人に対して懲役6年6ヵ月から7年の実刑判決を言い渡し、このうち2人はその後福岡高等裁判所那覇支部に控訴するも棄却され刑が確定している。

少女性暴行をきっかけに普天間飛行場返還を橋本龍太郎首相は米側と協議し、県内移設を条件に合意した。裁判に米兵の家族は差別していると反発し、裁判は荒れた。地位協定への県民の怒りや米兵家族の反発を穏やかにさせる方法として橋本龍太郎首相は普天間飛行場の返還をする決心をした。米側と協議し、県内移設を条件に日米は合意した。1996年4月12日、首相官邸で駐日米大使モンデールと共に記者会見に臨んだ首相橋本龍太郎は、満面の笑みを浮かべてこう述べた。「沖縄の皆さんの期待に可能な限り応えた」「最良の選択ができた」。日米両政府による米軍普天間飛行場(沖縄県宜野湾市)返還合意は、文字通りのサプライズ発表だったのである。

1月2日

馬毛島基地建設容認多数を明らかにした八板市長リコール運動

鹿児島県西之表市八板俊輔市長の解職請求(リコール)署名は688人分であった。リコールが成立するには西之表市の人口の3分の1である4109人の有効署名が必要である。必要署名の16、7%しかなかった。

西之表市には無人島馬毛島がある。政府は馬毛島への自衛隊基地建設と米軍機訓練移転計画があり、八板市長は馬毛島の基地建設を容認した。容認に反対の市民が八板市長のリコール署名運動をやったのである。その結果、リコールは成立しなかった。

今までのマスメディアの報道ではリコールの成立は確実であるような印象であった。

「馬毛島への米軍施設に反対する市民・団体連絡会」は抗議集会を繰り返し、反対運動は市民にひろがっている印象を与えていた。市民・団体連絡会の集会には日本共産党の田村貴昭衆院議員が参加し、連帯あいさつをした。立憲民主党や社民党の国会議員らも参加した

共産党の田村議員は、米国は馬毛島を含めた南西諸島にミサイル部隊を分散させ、中国に対抗する戦略であると指摘して、

「戦争が起これば標的になるのは馬毛島を含めた南西諸島だ。島の未来がかかっており、私も頑張り抜きたい。全国で運動と世論を広げていこう」

と演説した。

「辺野古に新基地を建設すれば、有事になるとミサイル攻撃される」と志位委員長が辺野古で指摘したことと同じことを田村議員は西之表市で述べたのである。

共産党は有事になれば全国の米軍基地、自衛隊基地がミサイル攻撃されるということを主張し続けている。

沖縄では沖縄の基地だけがミサイル攻撃され戦場になると主張しているが、実は全国の基地が攻撃されると主張しているのである。リコール署名はリコールできる3.分の1にほど遠いわずか688人分であった。多くの市民が基地建設を容認しているということだ。共産党のデマは通用しない。

馬毛島基地反対派のリコール運動とキャンプ・シュワブの辺野古移設反対運動がダブって見える。二つとも共産党、社民党に立憲民主党の左翼系の野党政党が中心とする運動である。そして、賛同者が少ない。

基地建設を西之表市、宜野湾市、名護市の3市長は容認している。基地建設容認の市民が増加しているのだ。基地があればミサイル攻撃されるというデマに騙されない市民が増えているということだ。

沖縄戦になったのは日本が軍国主義国家だったから

１９４５年（昭和２０年）８月１４日に昭和天皇や閣僚たちが御前会議において降伏を決定した。そして、８月１５日に玉音放送を通じてポツダム宣言の受諾をした。日本は降伏をし、戦争は終わった。

兵士と住民を合わせて２０万人が犠牲になった沖縄はすでに米軍に占領されていた。沖縄を本拠地にして日本上陸を計画していた時に日本は降伏したのである。

玉音放送を聞いていた国民は落胆し悲しんだ。

玉音放送は最初のところしか聞いたことがなかった。玉音放送に興味がなかったから、全文を読んだこともない。

日本の運命を変えたのが玉音放送である。最近、原文ではなく口語訳を読んだ。玉音放送に云々するつもりはない。

玉音放送の口語訳を紹介する。

玉音放送

私は、深く世界の大勢と日本国の現状とを振返り、非常の措置をもって時局を収拾しようと思い、ここに忠実かつ善良なあなたがた国民に申し伝える。

私は、日本国政府から米、英、中、ソの四国に対して、それらの共同宣言（ポツダム宣言）を受諾することを通告するよう下命した。

そもそも日本国民の平穏無事を図って世界繁栄の喜びを共有することは、代々天皇が伝えてきた理念であり、私が常々大切にしてきたことである。先に米英二国に対して宣戦した理由も、本来日本の自立と東アジア諸国の安定とを望み願う思いから出たものであり、他国の主権を排除して領土を侵すようなことは、もとから私の望むところではない。

ところが交戦はもう四年を経て、我が陸海将兵の勇敢な戦いも、我が多くの公職者の奮励努力も、我が一億国民の無私の尽力も、それぞれ最善を尽くしたにもかかわらず、戦局は必ずしも好転していないし、世界の大勢もまた我国に有利をもたらしていない。それどころか、敵は新たに残虐な爆弾（原爆）を使用して、しきりに無実の人々までをも殺傷しており、惨澹たる被害がどこまで及ぶのか全く予測できないまでに至った。

なのにまだ戦争を継続するならば、ついには我が民族の滅亡を招くだけでなく、ひいては人類の文明をも破滅しかねないであろう。このようなことでは、私は一体どうやって多くの愛すべき国民を守り、代々の天皇の御霊に謝罪したら良いというのか。これこそが、私が日本国政府に対し共同宣言を受諾（無条件降伏）するよう下命するに至った理由なのである。

私は、日本と共に終始東アジア諸国の解放に協力してくれた同盟諸国に対しては遺憾の意を表せざるを得ない。日本国民であって前線で戦死した者、公務にて殉職した者、戦災に倒れた者、さらにはその遺族の気持ちに想いを寄せると、我が身を引き裂かれる思いである。また戦傷を負ったり、災禍を被って家財職業を失った人々の再起については、私が深く心を痛めているところである。

考えれば、今後日本国の受けるべき苦難はきっと並大抵のことではなかろう。あなたがた国民の本心も私はよく理解している。しかしながら、私は時の巡り合せに逆らわず、堪えがたくまた忍びがたい思いを乗り越えて、未来永劫のために平和な世界を切り開こうと思うのである。

私は、ここに国としての形を維持し得れば、善良なあなたがた国民の真心を拠所として、常にあなたがた国民と共に過ごすことができる。もしだれかが感情の高ぶりからむやみやたらに事件を起したり、あるいは仲間を陥れたりして互いに時勢の成り行きを混乱させ、そのために進むべき正しい道を誤って世界の国々から信頼を失うようなことは、私が最も強く警戒するところである。

ぜひとも国を挙げて一家の子孫にまで語り伝え、誇るべき自国の不滅を確信し、責任は重くかつ復興への道のりは遠いことを覚悟し、総力を将来の建設に傾け、正しい道を常に忘れずその心を堅持し、誓って国のあるべき姿の真髄を発揚し、世界の流れに遅れを取らぬよう決意しなければならない。

あなたがた国民は、これら私の意をよく理解して行動せよ。

玉音放送を聞いた日本国民は、失望し、深く悲しんだ。皇居に向かってひざまずき深く頭を垂れた。

戦後の沖縄に生まれた私の周囲にはアメリカ兵が多く居た。彼らは私服であったから普通のアメリカ人であった。周囲に住んでいるのはみんな沖縄女性と同棲しているアメリカ人であった。アメリカ人には親しみを感じたし、彼らは周囲の沖縄人より自由で明るかった。

学校では戦前は軍国主義国家であったが戦後は民主主義国家になったと言う教育を受けていたし、リンカーン大統領の「人民の人民による人民のための政治」の言葉に深く感銘していたから、玉音放送にうなだれる写真に正直に言えば違和感があった。

自分の幸福を犠牲にしても天皇のために尽くすというのが天皇崇拝である。自分や国民の幸福のほうが天皇のために尽くすよりも大事であると思っていた私は天皇崇拝を受け入れることはできなかったし、写真のような人間にはなりたくなかった。

神風特攻隊にも反対だった。ベストセラー作家の百田尚樹氏が名護市の数久田体育館で公演したが、百田氏は沖縄戦が始まった時から神風特攻隊が沖縄の米軍に死を賭けて特攻していったことや戦艦大和が沖縄の米軍と戦うために向かったことを述べ、日本は決して沖縄を見捨てたのではなく、沖縄のために多くの日本兵が戦い、死んでいったことを強調していた。

百田氏の主張は「日本軍は沖縄住民を守らなかった」という左翼の主張に対する反論である。沖縄の地上戦でも日本軍は壮絶に戦い、全滅した。日本軍は住民を守らなかったのではなく全滅したために守ることができなかったのだ。

百田氏の指摘はその通りであるが、神風特攻隊を出撃すれば戦況を逆転し、沖縄を米軍の進攻から止めることができたかといえば、そうではなかったことがはっきりしている。神風特攻隊は戦況を逆転させることはできなかったし、沖縄を守ることもできなかった。それは最初から分かっていた。

神風特攻隊とは神風に頼った出撃であり、神風が吹かなければ戦況を逆転することはできないと信じるくらいに米軍と日本軍の軍事力の戦力は大差があった。

日本軍のトップなら沖縄が米軍に占領されることは知っ

ていたはずである。知りながら沖縄戦をやり、住民、日本兵の犠牲を２０万人も出したのである。

日本軍は沖縄戦の次は本土決戦もやろうとしていた。本土決戦をすれば本土も沖縄戦のように兵士も住民も米軍に殲滅され、犠牲者が何百万何千万人も出ていただろう。それを知っていながら日本軍は本土決戦をやろうとしていたのである。

昭和天皇の玉音放送で戦争は終わった。本土決戦はなくなり、これ以上の日本国民の犠牲は出さなくて済んだ。

玉音放送で本土決戦は阻止されたが、私の疑問は沖縄戦が始まる前のフィリピンが陥落した時に日本が降伏すれば沖縄の犠牲は免れたはずであるが、なぜ日本はフィリピンが陥落した時に降伏をしないで沖縄戦をやったかということである。敗戦が確実であるならできるだけ早く降伏をして、犠牲を押さえるべきである。しかし、日本は降伏しなかった。そのために沖縄戦にになり２０万人の兵士と住民が犠牲になった。

日清戦争や日露戦争の清国やロシアは徹底抗戦をしないで、本国が攻撃される前に降伏して、賠償金を払い、土地を日本に提供している。過去の戦争では敗戦が濃厚になると降伏をし、自国の被害を少なくする努力をしている。日本もフィリピンが陥落した時に降伏するべきであった。しかし、日本は敗戦が濃厚であるのに降伏をしないで戦争を続け沖縄戦の悲劇を生んだ。なぜ日本は沖縄戦が始まる前に降伏をしなかったのか。

なぜ、太平洋戦争が起こったのか、なぜ、日本は太平洋戦争に負けたのかの原因を説明する論文は非常に多いが、なぜ、沖縄戦になる前に日本は降伏しなかったのかを説明する論文はない。私には不思議である。

私は中学、高校生の頃は映画が好きで、よく映画を見た。戦争映画も多く見た。神風特攻隊が敵艦に突撃する時に、「天皇陛下バンザーイ」と叫んでいる映画を見たし、二二六事件の映画も見た。戦争を美化する映画もあったし批判する映画もあった。字幕がスムーズに読めるようになると米国やフランスなどの戦争映画も多く見た。外国の戦争映画には神風特攻隊や日本軍の玉砕を美化するような映画はなかった。美化するのは日本映画だけだった。外国の映画を見ていくと日本軍が降伏を拒否して玉砕したのは本当に正しい選択だったのか疑問を持つようになった。

日本軍の玉砕

１９４３年（昭和１８年）

５月１２日 米軍、アッツ島上陸（５月２５日、日本軍全滅し「玉砕」の語の使用始まる）

１９４４年。
１１月２１日 米軍、マキン島・タラワ島上陸（１１月２３日 日本軍玉砕）。
２月６日 クェゼリン島の日本軍玉砕。
６月１５日 米軍、サイパン上陸（サイパンの戦い。７月７日日本軍玉砕、在住 日本人１万人死亡）
８月２日 テニアン島の日本軍玉砕。（テニアンの戦い）
８月１１日 グアム島の日本軍玉砕。（グアムの戦い）
１９４５年（昭和２０年）
３月２６日　硫黄島日本軍玉砕

なぜ日本軍は降伏をしないで玉砕をしたのか。日清、日露戦争の時は玉砕の思想はなかったから玉砕はしていない。しかし、太平洋戦争では降伏はしないで玉砕をしている。日本軍が玉砕をした原因を調べてみると、日清、日露戦争の時の捕虜問題と武士道が関係していた。


日清戦争中に第一軍司令官であった山縣有朋が清国軍の捕虜の扱いの残虐さを問題にし、

「敵国側の俘虜の扱いは極めて残忍の性を有す。決して敵の生擒する所となる可からず。寧ろ潔く一死を遂げ、以て日本男児の気象を示し、日本男児の名誉を全うせよ」と「捕虜となるくらいなら死ぬべきだ」という趣旨の訓令を出した。


１９０５年(明治３８年)には井上哲次郎が『武士道叢書』を発表した。『武士道叢書』は戦国時代の戦陣訓や葉隠の「武士道とは死ぬことと見つけたり」等を収めたうえで、日清日露戦争で勝利したのは日本古来の武士道によるとし、天皇への唯一無二の忠誠を唱え、忠義や滅私奉公、国家のためには死をも厭わぬものとして武士道を解釈した。これはのちに昭和１７年に『武士道全書』へと継承され、太平洋戦争における「皇道的武士道」へ影響を与えた。


戦時国際法としての傷病者及び捕虜の待遇改善のための国際条約であるジュネーヴ条約に日本も加盟していたが、捕虜の待遇に関する条約（全９７条）に日本は加入をしなかった。理由として、「日本軍は決して降伏などしないのでこの条約は片務的なものとなる」と述べた。

降伏をしないということは玉砕するということである。

太平洋戦争における日本兵の降伏拒否や自決は、東条英機の戦陣訓示の「生きて虜囚の辱を受けず」によるものと言われているが、玉砕の思想は『戦陣訓』以前からあったのである。

日本軍が玉砕したのは、日清、日露戦争の捕虜が残虐な扱いを受けたことに対する反発と武士道の教えが影響していた。しかし、武士道は兵士を武士とした日本軍内の問題である。民間人は武士ではないから武士道とは関係がない。しかし、沖縄戦では兵士ではない１０万人近くの民間人が

犠牲になった。沖縄戦が始まる前に、
3月10日 東京大空襲
3月12日 名古屋大空襲
3月14日 大阪大空襲
3月16日 神戸空襲
3月25日 名古屋大空襲

があり、何十万と言う民間人が犠牲になった。東京大空襲では一夜にして10万人の市民が犠牲になった。国民の犠牲を止めるには降伏するしかない。しかし、日本は降伏しなかった。

形勢を逆転する可能性はなく、国民の犠牲が増えていったのに日本は降伏しなかったのである。それは日本が軍国主義国家であったからである。軍国主義国家ではなく、民主主義国家であれば国民を犠牲にするのを止めるために降伏していたはずである。沖縄戦もなかったはずである。

玉砕思想を持っていた軍部は本土決戦をやる積もりでいた。軍部は日本国民全体で米軍を迎え撃ち、最後の一人まで戦う覚悟でいた。政権は軍部が握っていたし、国民も本土決戦を覚悟し、米軍と戦う積りでいたから、本土決戦になるのは確実であった。しかし、本土決戦にはならなかった。

本土決戦を止めたのが昭和天皇の玉音放送である。

日本は戦前の憲法が大日本帝国憲法というように帝国主義国家であった。しかし、四民平等・法治主義を掲げていたから民主化への道も辿っていた。

大正デモクラシーが民主化の象徴である。

政治と軍事は分業化され、政治は政治家が行い。国の法律、予算を決めていた。次第に民主化に進んでいたのに民主化への道が軍によって一気に閉ざされた。その始まりが5・15事件の犬養毅首相暗殺である。

5・15事件をきっかけに日本は軍国主義へまい進していく。日本が軍国主義国家であったから沖縄戦が起こり、10万人近くの住民が犠牲になったのである。

なぜ、軍国主義国家だったから沖縄戦になったかは次に説明する。

日本は軍国主義国家であったのかなかったのか

5・15事件をきっかけに日本は軍国主義へまい進していった。日本が軍国主義だったために沖縄戦があり10万人の住民が死んだことを説明していこうと思っていたが、戦前は軍国主義国家ではなかったという意見があり、明治からずっと軍国主義だったという意見もあることを知った。戦前は軍国主義国家であったのかそれとも軍国主義国家ではなかったのか。沖縄戦について説明する前に両方の意見を検討してみることにした。

日本は明治から軍国主義であったと言う説

明治から軍国主義であったとする説の根拠は、

日本は帝国主義・富国強兵を宣言した国家であり、明治維新後、日清戦争、北清事変、日露戦争、第一次世界大戦、シベリヤ出兵、山東出兵、満州侵略、盧溝橋事件とそれに続く中国大陸侵略拡大、張鼓峰事件、ノモンハン事件、海南島侵略、仏印侵略、そして米英に対する開戦と日本は戦争ばかりやっていたし、戦争に反対する者は徹底して弾圧した。戦争、弾圧すべてが軍（主に陸軍）主導でやっていたから日本は軍国主義であったという説である。

確かに戦前の憲法は大日本帝国憲法であり、日本が帝国主義国家であることを宣言したことは確かである。日本が帝国主義国家であったことは否めない。

富国強兵を掲げていた明治政府は明治６（１８７３)年に徴兵令を布告した。対象年齢となった男子はすべて徴兵検査を受けなければならなかったし、徴兵検査に合格した男子は日本軍に入隊して軍事訓練を受けなければならなかった。そして、国が赤札で徴兵すると軍隊に入り、戦地に行かなければならなかった。国民は皆兵であった。

明治政府が徴兵令を布告し国民皆兵にしたのは軍隊を強化するのが目的であった。軍隊を強くした理由は軍事力で大陸に進出して植民地を獲得するためであった。植民地を獲得するために軍隊を強くしていったのが憲法を「大日本帝国」と帝国を掲げたことで分かる。しかし、帝国主義、富国強兵だから軍国主義というのは間違いである。

イギリスやオランダなど戦前のヨーロッパの国々はアフリカやアジアに植民地を持っていた。植民地にするために強い軍隊をつくり、アフリカやアジアの国々に武力で侵略したのである。しかし、イギリスは軍国主義国家ではなかった。議会政治国家だった。日本が帝国主義・富国強兵を目指していたから軍国主義国家であると決めつけるのは間違っている。

軍国主義国家とは軍部が政権を握ることである。帝国主義、富国強兵の国家であっても国家の政権を政治家が握っていたら軍国主義国家ではない。

明治維新の後、立憲政治・議会制度の創設が論議されるなかで、１８７０年代には福澤諭吉をはじめとする三田派の言論人たちを中心に政党内閣制を採用するように主張され始めた。

明治初期時代は藩閥政治であったが政府内部でも政党政治への動きがあり明治１４年（１８８１年）３月に参議大隈重信がイギリスをモデルとする議会政治の早期実現を主張し、政党内閣による政権運営を求めて意見書を提出した。しかし、右大臣岩倉具視の提出したプロイセンをモデルとする立憲君主制の提案が採用された。

明治政府は軍人が首相になることもあったが、政治家中心の政治であり軍人中心政治にはならなかった。

明治時代には議院内閣制は採用されなかったが、大正時代に入ると、大正デモクラシーを背景に政党の勢力を伸張していき、1912年の第1次護憲運動の後、大正7年（1918年）9月に立憲政友会の原敬が内閣を組閣した。この内閣は閣僚の大半が政党所属であった。原は藩閥ではなく現役衆議院議員であったから現役衆議院議員の初の首相であった。

原敬は右翼少年に暗殺されるが、原内閣以後も政党が政権を握る政党内閣が続いた。

陸軍・海軍や枢密院、官僚などの勢力は強く、政党内閣の政権下でも依然として大きな政治的発言力があり、政党内閣の政権運営に介入していたことは事実であるが、明治から大正、昭和初期まで政治家が政権を握っていたのは確かである。軍部の勢力は強かったが軍国主義国家ではなかった。しかし、1932年5・15事件以後から軍国主義が始まったと私は考えている。

戦前は軍国主義国家ではなかったという説

軍国主義ではなかったという説では、満洲事変前後から軍部が台頭し、政治への強い干与がはじまったことは事実であると認めている。そして、五・一五事件、二・二六事件後、軍中央部が政治への強い発言権を持つようになったことも事実であると認めている。加えて、国家総動員法の成立、大政翼賛会の結成に軍部の強い支持があったことも事実であると認めている。それらを認めた上で日本は軍国主義ではなかったというのである。

軍国主義ではなかった根拠に上げたのが「革新」派の存在である。「革新」派とは満洲事変以後にナショナリズムの昂揚とともに現状打破を主張して台頭してきた勢力である。「革新」派は軍部だけでなく、政党各派、官僚に加え民間の中にも多数存在した。「革新」派はナチス傾倒者、左翼からの転向者、右翼、民族派など幅広く存在した。

こうした大きな政治潮流の背景をぬきにして軍部の台頭のみを抽出して論じるのは、歴史に対する公正な態度とはいえないというのが戦前は軍国主義国家ではなかったと主張する側の主張である。軍国主義国家ではなかった派は、軍部も含めそれらの勢力を生んだ政治的思想的潮流こそ問題にすべきであるというのである。

軍国主義国家ではなかった派は「軍国主義」とか「ファシズム」の指標とされる大政翼賛会についても取り上げている。大政翼賛会へ向う新体制運動につながる中核グループには「東亜建設国民聯盟」の結成があり、「東亜建設国民聯盟」は軍部ではなく民間「革新」派の結集であったことを強調している。そして、大政翼賛会の結成時には、当初軍がもくろんでいた一国一党の前衛党の形式は民族派や現状維持派から「幕府論」だとの強い非難をうけ、「公事結社」として政府の方針を国民に伝達する機関となった。これは軍の「革新」派のもくろみの失敗であり、その意味でも「軍部支配」とはいいがたいと主張している。

でも、大政翼賛会に結集した民間人は思想的には軍部による政治支配に賛同した連中であり、民間の「革新」派が居たとしても、軍部が政権を握ったのは事実し、軍部が主流となって政治を行ったことを否定できるものではない。だから民間の「革新」派が居たから軍国主義国家ではなかったというのは間違っている。

5・15事件そして、2・26事件によって軍部と対立する政治家は軍部によって排除されるたのは事実である。そのために軍部に対抗する政治家がいなくなったのも事実である。政党政治家のいない軍部による政権は軍事政権であり、軍部の思想が直接政策となる国家は軍国主義国家である。

犬養首相が暗殺されたのは軍部との対立していたからである。犬養首相を暗殺することによって満州における軍部の政策が実現していった。

犬養首相は中華民国の要人と深い親交があり、とりわけ孫文とは親友だった。だから犬養首相は満州地方への進軍に反対で、「日本は中国から手を引くべきだ」との持論をかねてよりもっていた。しかし、大陸進出を急ぐ帝国陸軍の一派と、それにつらなる大陸利権を狙う新興財閥は日本が侵略し直接支配するために満州国独立の承認を政府に迫ったのである。犬養首相は軍部の要求を拒否した。

犬養首相としては、満州国の形式的領有権は中国にあることを認めつつ、実質的には満州国を日本の経済的支配下に置くという考えだった。犬養首相は中国国民党との間に独自のパイプを使って外交交渉で解決しようとした。交渉は行き詰まり、結局、犬養首相の満州構想は頓挫したが、政治家は政治交渉を優先させてできるだけ穏便に解決しようとする。しかし、軍部は武力で制圧占領することによって解決しようとする。それが政治家と軍人の違いである。

犬養首相は護憲派の重鎮で軍縮を支持しており、これも海軍の青年将校の気に入らない点だったといわれる。軍部の野望を拒否したから犬養首相は軍人に殺害されたのである。

二つの説は間違っている

明治時代から軍国主義国家だったという説も、戦前の日本は軍国主義ではなかったという説も間違っている。明治時代は政治家が政治をしていたし、政治の近代化は進み、政党政治になったが、5・15事件で犬養首相が暗殺されてから、軍部が政権を握り軍人が政治をやるようになった。だから日本は軍国主義国家になったのである。

軍国主義国家になると大正デモクラシーと呼ばれるような民主主義の運動も弾圧されていった。

5・15事件以後に軍国主義に向かった

1932年（昭和7年）5月15日に内閣総理大臣 犬養毅を武装した海軍の青年将校たちが殺害した。

昭和天皇は鈴木貫太郎侍従長を通じて、犬養首相の後継の首相は人格の立派な者を選び、内閣は協力内閣か単独内閣かは問わない、しかしファッショに近いものは絶対に不可といった内閣をつくるように指示した。

昭和天皇が希望した内閣はファッショに近い軍部の内閣ではなく、民主主義に近い政党内閣であった。しかし、昭和天皇が指示した政党内閣はつくられないで元海軍大将であった斎藤実が次期首相になり軍部中心の内閣がつくられた。

犬養首相暗殺後の内閣は、昭和天皇が指示した内閣は実現しないで昭和天皇が望まなかった内閣がつくられたのである。戦前の国家は天皇主権と言われているが犬養首相暗殺後の日本はそうではなくなったのである。天皇よりも軍部が望む政権がつくられたのである。

軍部の勢力が強かったのは、大日本帝国憲法第11条に「天皇は陸海軍を統帥す」とあり、天皇主権の戦前では法的には軍部は内閣によるシビリアンコントロール下にはなく内閣とは五分五分の立場であった。しかし、明治以降ずっと政治家が軍を主導していて、天皇による統帥権が憲法には銘記されているにも関わらず政治主導されていることが問題にされることはなかった。しかし、昭和に入り、統帥権干犯問題が起こる。

統帥権干犯問題

昭和5（1930）年、ロンドン海軍軍縮条約に調印した浜口雄幸内閣に対して、軍部と野党政治家が政府を激しく攻撃した。

※ワシントン海軍軍縮条約

1921年（大正10年）11月11日から1922年（大正11年）2月6日までアメリカ合衆国のワシントンD.C.で開催されたワシントン会議のうち、海軍の軍縮問題についての討議の上で採択された条約。アメリカ（米）、イギリス（英）、日本（日）、フランス（仏）、イタリア（伊）の戦艦・航空母艦（空母）等の保有の制限が取り決められた。

軍部と野党政治家は、

「明治憲法（大日本帝国憲法）の第１１条には「天皇ハ陸海軍ヲ統帥ス」、第１２条には「天皇ハ陸海軍ノ編成オヨビ常備兵額ヲ定ム」、とある。これは天皇の統帥権、編成大権であり、陸海軍の兵力を決めるのは天皇と書かれている。天皇をさしおいて、政府が兵力数を決めてきたのは憲法違反である。天皇の統帥権を犯すものだ」

と主張したのである。

これを政争の具にして議会で「統帥権干犯！」と騒ぎ出したのが野党であった政友会の犬養毅や鳩山一郎（鳩山由紀夫・邦夫兄弟の祖父）であった。

犬養毅や鳩山一郎の野党の主張に対して、浜口雄幸首相は、

「一応天皇が最終的な権限を持っているけど、実際上は責任内閣制度なのだから内閣が軍縮条約を結んでもかまわない。これが統帥権干犯ならば、外交を外務大臣がやるのは外交権干犯なのか？」

と答弁をした。鳩山一郎や政友会は浜口首相に言い負かされてしまう。

しかし、これで浜口首相は右翼や海軍から恨みを買うことになり、後日、右翼に狙撃されて重傷を負い、退陣に追い込まれた（浜口は約１０ヵ月後に死亡）。

もともとは明治憲法の欠陥なのだが、それまでは元老制度によってこれが問題となることはなかった。しかし、昭和に入ると元老のほとんどは死に絶え、必然的に内閣の権威も衰えてしまった。ここに統帥権干犯問題という軍部の横暴がまかり通ってしまった原因がある。

結局、この問題により内閣は軍に干渉できないことになってしまった。

統帥権にこだわり、勢力拡大の野望に固執した軍部や右翼によって統帥権干犯論を撥ね付けた浜口首相は殺害され、満州問題で軍部と対立した犬養毅も五・一五事件で射殺された。この流れはより強固になっていき二・二六事件へと連なるのである。

統帥権干犯問題あたりを機に、日本の議会政治は徐々に死んでいき軍国主義への道に進んでいくのである。

統帥権干犯問題は、伊藤博文に始まった日本の政党政治の息の根を止めることになった。

五・一五事件で8年間続いた政党内閣は崩壊し、軍部が政権を握る軍国主義へ歩みだしたのである。

軍部の野望

政権を握った軍部の野望は日本国家を掌中に治め、日本を軍部の思い通りの国にしてから、満州の植民地支配を初めとした大陸進出であった。

軍部の野望の最終目的は日本が指導者として欧米勢力をアジアから排斥し、日本・中華民国・満州を中軸とし、フランス領インドシナ（仏印）、タイ王国、イギリス領マラヤ、英領北ボルネオ、オランダ領東インド（蘭印）、イギリス統治下のビルマ、オーストラリア、ニュージーランド、イギリス領インド帝国を含む広域の政治的・経済的な共存共栄を図る大東亜共栄圏構想であった。

軍部は大東亜共栄圏野望を実現するためにアジアに戦場をどんどん広げた。軍政府は日本経済を支える労働者である国民の多くを戦場に送った。そのために日本の生産は落ち、経済は下がり、国民は貧困にあえいだ。それでも軍政府は、

「贅沢しません勝つまでは」

と国民に言わせて、戦場を拡大していった。

帝国主義を宣言したのは明治政府を設立した政治家である。政治家が軍部と同じように大東亜共栄圏の野望を持つ可能性もある。しかし、政治家が軍部と同じ政策で大東亜共栄圏を目指すかというと、満州の植民地化政策で犬養首相と軍部が違ったように政策は違っていたはずである。

政党政治の政権が、果たして、

「贅沢しません勝つまでは」

と国民に言わせてまで戦場を拡大していったかどうかを検討することは必要だと思う。

軍国主義とは軍部が政権を握り軍人が国の政治を動かすということである。政治家の政治と軍人の政治が同じであれば問題はない。しかし、軍人の政治と政治家の政治は違う。それが問題である。

沖縄戦になったのは日本が軍国主義だったからであり、太平洋戦争の時でも政治家による政治が続いていたら神風特攻隊はなかったし、沖縄戦にもならなかったはずである。

原敬、浜口雄幸、犬養毅三首相暗殺によって日本は軍国主義になり太平洋戦争に突入する

明治維新から日本の近代化は進み、１８８９年（明治２２年）に大日本帝国憲法が公布された。日本は法治国家になったのである。憲法において議会に予算議定権および立法権が認められたので、藩閥政治のように政府が勝手に政治をすることが制限され、議会の多数党を無視した政権運

営は困難になった。議会の多数党になることが必要であり、日本の政治は政党政治に向かっていった。

１９１８年（大姓7年）９月２９日に、衆議院議員・立憲政友会総裁の原敬が第１９代内閣総理大臣に任命された原内閣は陸軍大臣・海軍大臣・外務大臣を除く国務大臣に、原敬が総裁を務める立憲政友会の党員を起用したことから、日本初の本格的政党内閣となった。

原内閣は、教育制度の改善、交通機関の整備、産業及び通商貿易の振興、国防の充実の４大政綱を推進した。とりわけ交通機関の整備、中でも地方の鉄道建設のためには公債を発行するなど極めて熱心であった。

「高等諸学校創設及拡張計画」が、４，４５０万円の莫大な追加予算を伴って帝国議会に提出され可決された。

政党政治を推し進めた原敬首相であったが１９２１年（大正１０年）１１月４日に東京駅乗車口（現在の丸の内南口）で暗殺（刺殺）された。暗殺したのは鉄道省山手線大塚駅職員の中岡艮一であった。

原敬暗殺以後も政党政治は犬養毅暗殺まで続いた。

１９代　原敬
２０代　高橋是清　官僚
２１代　加藤友三郎　海軍大将
２２代 山本權兵衞　海軍大将
２３代　清浦奎吾清浦　司法官僚
２４代　加藤高明　外交官
２５代　若槻禮次郎　大蔵官僚
２６代　田中義一　陸軍大将
２７代　濱口雄幸　大蔵官僚
２８代　若槻禮次郎　大蔵官僚
２９代　犬養　毅　政治家

原敬は１９２１年（大正１０年）に刺殺された。９年後の、１９３０年(昭和５年)１１月１４日に浜口雄幸が東京駅で佐郷屋留雄に狙撃され１９３１年(昭和６年)に死亡した。わずか１年後の１９３２年（昭和７年）５月１５日に犬養毅が海軍の青年将校に狙撃されて死亡した。１２年間で３人の首相が暗殺されるという異常なことが日本で起こったのである。

犬養毅の暗殺によって原敬から始まった政党政治はわずか１０年で崩壊した。政党政治を崩壊させて政権を握ったのが軍部であった。

政治面においては普通選挙制度を求める普選運動や言論・集会・結社の自由に関しての運動、外交面においては国民への負担が大きい海外派兵の停止を求めた運動、社会面においては男女平等、部落差別解放運動、団結権、ストライキ権などの獲得運動、文化面においては自由教育の獲得、大学の自治権獲得運動、美術団体の文部省支配からの独立など、様々な方面から様々な自主的集団による民主化運動が展開された。

その結果軍人や右翼による急進的な体制転換運動が活発になっていった（国家改造運動昭和初期から10年代にかけて，軍人の一部や民間の右翼が標榜した〈国家改造〉のスローガン。1920年代後半から30年代初頭，中国民族運動の発展，国内の恐慌による経済混乱，社会運動の活発化，退廃的世相などに危機感を抱いた彼らは，明治維新以来，日清・日露戦争と日本が発展してきたにもかかわらず，こうした危機が起こってきたのは，政党政治の腐敗に象徴される支配のあり方にあるのだとし，明治維新になぞらえて，第2の〈維新〉を主張した。右翼と軍部は政党政治打倒して軍事政権設立の方向に動いていく。犬養毅暗殺へと展開していく。

犬養内閣の発足当初は、政友会は衆議院で174議席に過ぎない少数与党政権であった。蔵相高橋是清は内閣成立後ただちに金輸出再禁止を断行、金本位制を離脱し管理通貨制度へ移行、さらに立憲民政党政権によるデフレ政策をインフレ政策に転換し世界恐慌以来の不況への対策に矢継ぎ早に取り組んだ。結果的に景気回復への期待や、満州事変・上海事変の戦勝なども政権への追い風となり、1932年（昭和7年）1月の衆議院解散、総選挙で301議席を獲得し衆議院で絶対多数を獲得した。

満州事変は軍部が主導して起こしたものである。犬養内閣は軍事力による満州進出には反対だった。満州事変の後、1932年（昭和7年）の3月1日、満州国建国が宣言されたが、犬養内閣はこれを承認しなかった。あくまで中華民国に対しての宥和的姿勢をとった。しかし、これが荒木陸相をはじめとする皇道派の反発を招き、同年5月、血盟団の同志であった海軍青年将校によって犬養が暗殺され（五・一五事件）、宮中席次の序列に則り大蔵大臣であった高橋是清が内閣総理大臣臨時兼任し総辞職した。

この事件以後日本は一気に軍国主義に傾倒していくこととなり、事実上犬養政権は戦前日本最後の政党内閣となった。

30代　齋藤　實　海軍大将
31代　岡田啓介　海軍大将
高橋是清　（岡田啓介内閣の大蔵大臣時代の1936年、「2・26事件」で陸軍青年将校により射殺）
齋藤　実　（岡田啓介内閣の内大臣時代の1936年、「2・26事件」で陸軍青年将校により射殺
32代　廣田弘毅　外交官
33代　林銑十郎　陸軍大将
34代　近衛文麿　貴族院議長
35代　平沼騏一郎　司法官僚

36代　阿部信行　陸軍大将
37代　米内光政　海軍大将
38代　近衞文麿
39代　近衞文麿
40代　東條英機　陸軍大将のまま首相就任する

東條は首相就任に際して大将に昇進しているが、これは内規を変更して行ったものである。東条内閣で完全な軍部独裁政権となる。軍部が政権を握った日本はアジアで戦争を拡大していく。

犬養首相が暗殺されないで政党政治が続いていたら、日本の民主化は進み、アジアの軍事による拡大もなかっただろう。政治が主導権を握ったアジア進出であれば平和的なアジア拡大になっていたはずである。

東条政権は対米交渉最大の難問であった中国からの撤兵要求について、すぐにということではなく、中国国内の皇の意思の実現に全力を尽くそうとした。しかし、米国は民主主義国家である。支配階級の皇の意思を尊重する日本政府側の提案はフランクリン・ルーズベルト政権には到底受け入れられるはずはなかった。組閣から約40日後には東条政権の要求は崩れ去ってしまう。これによって東條内閣は交渉継続を断念した。対米開戦を決めるのである。

軍国主義国家になった日本は真珠湾攻撃をやり、米国との戦争を始めた。

政党政治であったなら米国との政治交渉を積み重ね、米国との妥協を目指していたはずである。国民、経済のことを重視するからだ。軍部が政権を握ることによって国民、経済よりもアジア支配拡大が優先された。

1941年（昭和16年）12月8日、日本はマレー作戦と真珠湾攻撃を敢行、太平洋戦争が始まった。両作戦が成功したのちも日本軍は連合国軍に対して勝利を重ね、海軍はアジア太平洋圏内のみならず、インド洋やアフリカ沿岸、アメリカ本土やオーストラリアまでその作戦区域を拡大した。開戦4日後の12月12日の閣議決定において、すでに戦闘中であった支那事変(日中戦争)も含めて、対連合国の戦争の呼称を「大東亜戦争」とするとされた。

米国との戦争を始めた東条政権は開戦の翌日早朝を期して、反勢力の396人の身柄を一方的に拘束した。これは2．26事件のときにも満州国において関東軍憲兵隊司令官として皇道派の軍人の拘束や反関東軍の民間人の逮捕、監禁などの処置を行った経験に基づくものである。独裁政権の常套手段である。

原敬、浜口雄幸、犬養毅三首相暗殺によって軍部が政権を握ったのである。軍国主義国家になったから日本は真珠湾攻撃し太平洋戦争に向かったのである。

　戦争が終盤になってくると日本軍の敗戦が続いた。ソロモン諸島、ニューギニア島、フィリピン、台湾と日本軍は後退していった。国民に選出された政権であったなら、国民の命を守るために敗北宣言をして戦争を終わらせていたはずである。しかし、軍独裁政権は本土決戦をやる覚悟でいた。日本が軍国主義だったから沖縄戦になったのである。政党政治の日本だったら沖縄戦になる前に敗北宣言をして、沖縄戦にはならなかったはずである。

　１９３２年５月１５日の五・一五事件は軍部クーデターである。それ以後の日本は軍部が政権を握った軍独裁政権である。
　封建社会の徳川幕府を倒して四民平等の明治政府になった。民主化がゆっくりと進んでいたが軍部クーデターで日本は軍の独裁政権になったのである。
　軍独裁政権でなければ政治交渉をすることによって米国との戦争はしなかっただろう。だから沖縄戦はなかった。米国と戦争になったとしても沖縄戦になる前に敗北宣言して沖縄戦になることはなかった。

　民主化が進んでいたミャンマーは軍のクーデターで軍独裁国家になった。タイも軍クーデターによって軍事政権になった。ロシアは１９９１年に社会主義が崩壊し、大統領と国会議員は国民選挙で選ぶ民主主義体制になった。しかし、。ＫＧＢのプーチンは対抗する候補者を暗殺したり刑務所に入れたりして対抗勢力を潰した。だから、立候補するのはプーチンに従う者たちである。対抗勢力を排除することによってロシアをプーチン独裁政権にした。ロシアは議会制民主主義体制でありながらプーチン独裁国家である。
　民主主義に向かい始めている時に軍などが政権を握って独裁政権になるケースは多い。日本も民主化方向に進んでいる途中で軍事独裁になった国である。

　日本は敗戦した。だが、政治の視点から見れば日本が戦争に負けたというより軍事独裁政権が敗北したのである。戦後の日本は軍事独裁から議会制民主主義になった。軍のクーデターによって犬養首相が暗殺され、軍独裁政権になったが敗戦によって軍独裁政権は崩壊し、政党政治がより発展した状態で復活したのである。戦勝国である米国の内政介入があったが、日本はより質の高い議会制民主主義国家になった。
　戦後の沖縄は米国の統治を経て、日本復帰して日本の地方自治体となった。戦後７７年間戦場になることはなかった。これからも沖縄が戦場になることはない。

連載小説
ゴドーと歩きながら

「よくもお前は平気で夫に恥をかかせるようなことが言えるものだ。」

「え、私が純一郎さんに恥をかかせるようなことを言ったのですか。」

「そうだ。まるで、私が夜眠れないということが嘘であるとお前は言っているようなものだ。」

「そうですか。」

「お前とは離婚だ。今の話を撤回しろ。私に恥をかかせたことを謝れ。」

「ごめんなさい純一郎さん。お母さん。話を撤回しますわ。」

洋子はあっさりと話を撤回した。

「お母さん。シベリアに行かないで日本に帰って下さい。日本の田舎で静かな余生を過ごして下さい。」

花子はすんなりと、

「分かりました。」

と言った。花子がすんなりと純一郎の要求に応じたことを純一郎は信じられないので、

「本当に分かったのですか。」

と念を押した。

「本当に分かりました。」

と花子はすんなりと答えた。純一郎はさらに念を押した。

「それでは日本に帰るのですね。」

「はい。日本に帰ります。」

「日本の田舎で静かに余生を過ごすのですね。」

「はい。日本の田舎で静かに余生を過ごします。」

「本当に日本に帰りますよね。」

「はい。」

「シベリアに行った後に日本に帰るなんて言いませんよね。」

「はい。言いません。」

「本当ですか。」

「本当です。」

「本当に本当ですか。」

「嘘です。」


花子はすんなりと否定した。純一郎は唖然とした。


「え、嘘なのですか。」

「嘘に決まっていることを知らない純一郎は世間知らずもいいところ。」

「どうして嘘をついたのですか。」

「知らないの。」

「知っているはずがないです。」

「教えてあげましょうか。」

「教えてください。」

「それはね。」

「それはなんですか。」

「嘘をつく必要があったから。」

「なぜ、嘘をつく必要があったのですか。」

「知らないの。」

「はい。知りません。」

「あきれたわ。くやしくないの。」

「なにがくやしいのですか。」

「なぜ、嘘をつく必要があったのですかと母親のわたしに聞かなければならないことが。」

「くやしいとかくやしくないとかの問題ではないと思います。私にはお母さんがなぜ嘘をつく必要があったのか分からない。分からないから聞いたままでです。」

「そう。」

「そうです。」

「悲しいわ。」

「なぜ、嘘をつく必要があったのですか。」

「それは嘘をつく必要があったから。」

「だから、なぜ、嘘をつく必要があったのですか。」

「だからそれは、嘘をつく必要があったからよ。」

「だから、なぜ、嘘をつく必要があったのですか。」


花子は溜息をついた。


「嘘をつく必要があったのは嘘をつく必要があったからなのよ。それをなぜと聞かれれば嘘をつく必要があったからと答える以外はないわ。どうして純一郎は同じ答えしか選ぶことができない質問を何度もするのかしら。純一郎は不思議な子だねえ。」

「お願いです。極寒のシベリアには行かないでください。お母さんがシベリアへ行ったら私はお母さんの身が心配で夜も眠れません。」

「野ざらしを心に風のしむ身かな。」

「え。」

「馬子は馬の口を捉えて旅を棲家とする。行き交う年もまた旅人なり。」

「え、え。」

「旅に病んで夢は枯野をかけめぐる。」

「え、なぜ芭蕉の俳句を詠ずるのですか。」

「嘘をつく必要の理由をつくるためよ。」

「芭蕉の俳句がですか。納得できません。」

「どうして純一郎が納得する必要があるの。嘘をつく必要は私にあります。嘘をつく必要が私にあるということは嘘をつく理由も私にあるのです。でも純一郎には理解できないから嘘をつく必要があったのは嘘をつく必要があったからという答えが一番適当なの。でも純一郎は不思議な子だから一番適当な答えを一番適当な答えと思っていないから一番適当ではない説明をやったの。純一郎が納得しないのは分かっているわ。」

「もう説明はいいです。とにかくシベリアは行かないで下さい。」

「行かないわ。」

「本当ですか。」

「本当よ。」

「本当に本当ですか。」

「嘘よ。」

「ああ、堂々巡りだ。」

「純一郎ひとりで堂々巡りをしていなさい。私たちは出かけます。」

「待ってください。」

純一郎は花子を引きとめる理由を探した。夕食を一緒にやり、その間に花子たちがシベリアに行くことを断念するように説得するアイデアが頭に浮かんだ。

「お母さん。久しぶりに会ったのですから私達と一緒に夕食をして下さい。」

「あら、それはいいこと。みんなで食事をするのは素晴らしいわ。ねえ、孝一郎さん。」

「それでは私達のホテルで夕食を取りましょうか。お母さんはどこで食事をするのがいいですか。」

「そうねえ。あなたのホテルよりシャンゼリゼ通りのレストランで食事をするのがいいわ。」

「シドニーのどこにシャンゼリゼ通りがあるのですか。」

「シャンゼリゼ通りはシドニーにあるのですか。」

「分からないからお母さんに聞いているのです。シドニーにないとすればボンにあるのですか。それともダーヴィンにあるのですか。シャンゼリゼ通りはオーストラリアのどの市にあるのですか。」

「シャンゼリゼ通りはオーストラリアにあるのですか。」

「シャンソンで有名なシャンゼリゼ通りはフランスにあります。」

「オー、シャンゼリゼー。オー、シャンゼリゼー。のシャンゼリゼ通りですか。」

「そうです。そのシャンゼリゼ通りはフランスです。そのシャンゼリゼ通りではないシャンゼリゼ通りはオーストラリアのどこにあるのですか。」

「オーストラリアにもシャンゼリゼ通りはあるのですか。」

「知らないからお母さんに聞いているのです。」

「知らないから純一郎に聞いているのです。」

「ここがどこかお母さんは知っているのですか。ここはオーストラリアですよ。」

「ここがオーストラリアであるのはさっきまでは知らなかったけど今はどうにか知っているわ。」

「お母さんの言うシャンゼリゼ通りはオーストラリアにあるシャンゼリゼ通りではなくてフランスにあるシャンゼリゼ通りなのですか。」

「オーストラリアにシャンゼリゼ通りがあるのならオーストラリアのシャンゼリゼ通りでもいいですよ。」

「オーストラリアにシャンゼリゼ通りがあるのですか。」


花子は呆れて笑った。


「純一郎は人の話を聞くのが下手だねえ。私はオーストラリアにシャンゼリゼ通りがあるのならオーストラリアのシャンゼリゼ通りでもいいですと言ったのですよ。私がオーストラリアにシャンゼリゼ通りがあるかないかを知らないのははっきりしています。知らない私に『オーストラリアにシャンゼリゼ通りがあるのですか。』と聞くのはおかしいです。」

「私の知っているシャンゼリゼ通りはフランスにあります。まさかフランスのシャンゼリゼ通りのことではありませんね。お母さん。」

「シャンゼリゼ通りがフランスにあるのならフランスのシャンゼリゼ通りのことです。オーストラリアにシャンゼリゼ通りがあるのならオーストラリアのシャンゼリゼ通りのことです。アメリカにシャンゼリゼ通りがあるのならアメリカのシャンゼリゼ通りのことです。」

「シャンゼリゼ通りはフランスにあります。」

「そうですか。フランスにあるのですか。」

「ここはオーストラリアです。フランスは遠いです。」

「遠いのですか。」

「お母さんはわたし達と食事をしたくないからフランスのシャンゼリゼ通りで食事をしたいと言っているのですか。」

「そうかしら。」

「そうに決まっています。」

「そうに決まっていないかも知れなくてよ。」

「きっとそうに決まっています。」

「そうかしら。」

「そうです。」

「私は純一郎の家族と一緒に夕食をシャンゼリゼ通りで食べたいと思っただけなの。それだけのこと。シャンゼリゼ通りがフランスにあるとかオーストラリアにあるとかというのは関係のないこと。純一郎が私達と夕食を食べたくないのなら、残念だけどここでお別れ。私たちは行きますわ。ごきげんよう、純一郎。私の息子。」

「待ってください。私たちと夕食をしましょう。しかし、フランスのシャンゼリゼ通りで今日の夕食を取るのは不可能です。」

「そうですか。それじゃ明日の夕食をシャンゼリゼ通りで取ることにしましょう。私は今日の夕食に拘っていません。」

「そういう話ではありません。お母さんの話をしていると頭がおかしくなる。」

「ああ、久しぶりに純一郎と母子水入らずのお話ができて楽しかったですわ。ごきげんよう、純一郎。」

「お母さん。待ってください。」

純一郎は花子の前にたちはだかった。その時、遠くの方から人の声が聞こえた。どうやら女の声のようだ。声の聞こえる方向に走っている女の姿が見えた。

「コーさーん。」

走って来るのはマリーだった。マリーは、「コーさーん。」と叫びながら走っている。マリーの小さな姿がみるみるうちに大きくなってきた。髪を振り乱したマリーは土煙を上げながら走ってきた。マリーは息を切らしながらベンチまで走って来ると、孝一郎の側に座った。

「コーさん。パソコンを貸してください。もう我慢できない。パソコンをやらないと気が狂いそう。一万ドルの懸賞金乱数バトルが今から始まるの。コーさん。パソコンを貸してください。」

マリーは孝一郎からノートパソコンを奪うように取るとパソコンを開いてディスクトップにあるひとつのフォントをダブルクリックして開いてからＵＲＳを消して新たなＵＲＳを打ち込んだ。マリーのキーを打つ速さは神業のように早かった。

マリーのリュックサックを担ぎながらボブが走ってきた。

「マリー。なぜ逃げるんだ。マリー。何をしているのだ。」

パソコン操作に集中しているマリーにはボブの声は聞こえない。マリーは一心不乱にパソコンに夢中になっていた。一万ドルの懸賞金乱数バトルというのはコンピューターが作った四桁の数字がＡ段階、Ｂ段階、Ｃ段階とあり、三分間にＡ段階、Ｂ段階、Ｃ段階の四桁の数字を最初にクリアした人間が一万ドルの懸賞金が貰えるという単純なゲームである。

マリーがＳＴＡＲＴキーをクリックするとＡ欄が青く点滅した。マリーは四桁の数字を作るとＥＮＴＥＲキーを叩いた。正解の数字ではないのでブッブーと鳴った。マリーは一秒間に三通りの四桁の数字を打ち込むペースで次々とＥＮＴＥＲキーを押した。マリーの指は目にも止まらぬ速さでキーを叩く。Ａ欄は次から次へと四桁の数字が変わっていった。ボブはマリーの前に立ち、マリーの一万ドルの懸賞金乱数バトルを止めさせようとした。

「マリー。止めろ。手を止めるんだ。」

ボブの声は一万ドルの懸賞金乱数バトルに夢中になっているマリーの耳には聞こえない。マリーが０６０６の数字を打ってＥＮＴＥＲキーを叩いた瞬間にジャジャジャジャーンと運命の曲がなりＡの欄には０６０６が点滅した。マリーが歓喜の声を発しながらＥＮＴＥＲキーを押すとＢ欄が緑色の点滅を開始した。

ボブはマリーからパソコンを取り上げたかったが、パソコンは孝一郎の所有物である。強引に取り上げるとパソコンを壊してしまう恐れがあるのでマリーから強引にパソコンを取り上げることができなかった。

「マリー。止めろ。手を止めるんだ。」

ボブは叫んだ。しかし、一万ドルの懸賞金乱数バトルのＡ欄をクリアしたマリーはますますキーを叩くことに集中し、ボブの声は聞こえなかった。マリーが０４２８を打ってＥＮＴＥＲキーを押した瞬間にジャジャジャジャーンと運命の曲が流れてＢの欄に０４２８が点滅した。

マリーは「ウオー。」とまるで獣のような歓喜の声をあげながらＥＮＴＥＲキーを押した。Ｃ欄が赤く点滅し始めた。運命の曲がマリーを高揚ざせるように流れ続けた。

マリーは獣のうなり声のような声で運命を「ウーウー。」と口ずさみながらパソコンのキーを激しく叩いた。ボブは、「マリー、手を止めるんだ。」と言って、マリーの手首を掴んで強引にパソコンから指を離れさせた。マリーはボブを睨んで、

「手を離しやがれ豚野朗。」

と唸った。ボブを睨むマリーの顔はメドゥーサのように恐ろしい顔になり、目はボブを射殺すほどの迫力があった。ボブはマリーの頭に八匹のヘビが蠢いているような

錯覚を覚えた。ボブはメドゥーサのような形相をしたマリーが恐ろしくなって手を離した。マリーは「ウーウー。」と獣のような声を発しながらキーを叩き続けた。C隣の上にあるタイムウォッチが３０、２９、２９・・・と○に近づいていく。マリーの獣のよう声ばますます大きくなり、キーを叩く速さもアップしていった。タイムウォッチの数字が８、７.６となった時、マリーは「ウァー。ウォー。ワー。」などと気が狂ったような叫び声をあげてキーを叩いた。しかし、タイム表示板はマリーの懸命なキー叩きを嘲笑うように○を表示して止まった。三分間全速力で走ったマリーは疲れがどっときて、ベンチの背もたれに寄りかかって空ろな目をして動かなくなった。

「マリー。」

ボブは目を開けたまま眠っているように動かない虚脱状態のマリーの名を呼んだ。ボブが何度も呼ぶ声にマリーはやっと正気に戻った。

「ボブ。私は疲れているの。休ませて。」

マリーはベンチの背に寄りかかり目を瞑った。ボブはマリーを呼んだ。耳の側でボブが大声で「マリー。起きろ。」と呼んだのでマリーは再び目を開いた。

「何故だ何故だ。パソコンに手を触れないと約束したのは今日の朝だ。一日さえも経過していないというのにマリーはパソコンに手を触れた。何故だ何故だ。」

マリーはうんざりした顔をして、頭を掻きながら再び目を瞑った。

「僕にはマリーの気持ちが理解できない。マリー、起きろ。起きて僕に釈明をするのだ。」

「うるさいわ。静かにして。」

マリーは目を瞑ったまま言った。

「マリーは僕にうるさいと言う権利はない。マリーは僕との約束を破った。マリーには釈明する義務がある。さあ、目を開いて釈明をしてみろ。」

「うるさいなあ。白豚野朗。静かにしろよ。」

ボブはマリーのあばずれのような言い方に激しいショックを受けたが、すぐに激しい怒りが込み上げてきた。

「マリー、目を開けなさい。」

ボブはマリーの首を締めた。

「苦しい。止めて。」

ボブは手を離した。マリーは咳をした。マリーは我に帰りベンチに座っている自分に驚いた。

「あら、なぜ私はここに居るの。なぜ私はベンチに座わっているの。このノートパソコンはなんなの。」

マリーは膝の上にノートパソコンがあるのに気付いた。隣には孝一郎が座っている。マリーは孝一郎のノートパソコンを膝の上に置いてあることに気づき、ノートパソコンを孝一郎に返した。

「すみません。」

孝一郎はマリーのキーボードの目にも止まらぬ指捌きに関心していた。

「いやあ、素晴らしいですなあマリーさん。マリーさんの指さばきの素晴らしさに私は思わず拍手しました。マリーさんの手は魔法の手です。神業の指捌きですなあ。本当にすごかった。あんなに早くキーを打つ人は生まれて初めて見ました。うらやましい。あれだけの速さでキーを打つことができればインターネット株売買で何百万と儲けるのは簡単です。私はキーを打つのが遅いからチャンスを逃し続けている。マリーさんの手が羨ましい。」

マリーは自分がパソコンを操作した記憶を失っていた。

「私はコーさんのパソコンを使ったのですか。」

「そうですよ。覚えていないのですか。まあ、人間は集中の度合いが高ければ高いほど記憶に残らないものです。マリーさんは賞金乱数バトルとかというサイトで四桁の数字を目にも止まらぬ速さで打っていました。」

マリーは賞金乱数バトルをやったことを思い出して「キャッ。」と叫んで口を覆った。恐る恐るボブを見るとボブはマリーを睨んでいた。マリーはボブの怒りに目を伏せた。

「マリー。僕の目を見て。なぜ、リュックを放り投げて五キロも走り続けてここに戻ったのだ。ちゃんと説明してくれ。」

「ごめんなさいボブ。」

「謝る前に僕が納得いくように説明してくれ。」

「ごめんなさいボブ。なぜ、私がここに居るのか。私には分からない。だから、謝ることしかできないの。ごめんなさいボブ。」

ボブはマリーの言葉を鵜呑みにできなかった。突然、マリーはリュックサックを放り投げて走り出した。「マリー。」と何度も呼んだのにマリーは一度も振り返らないで五キロの道をひたすらに走り続けた。マリーの足は速くてボビーはマリーを掴まえることができなかった。マリーの足の速さに脅かされたが、ボブは走りながら必死にマリーの名を呼んだがマリーはボブの声を無視して走り続けた。なぜマリーは走るのかボブは理解できなかった。マリーが走った先は孝一郎のノートパソコンだった。マリーは賞金乱数バトルという三分間のインターネットゲームをやるためにリュックを放り出しボブに背を向け一目散に五キロの道を走ったのだ。ボブはマリーの気持ちが理解できなかったしボブを無視し続けたマリーを許すことはできなかった。

「僕はマリーが謝るだけでは納得できない。絶対にだ。僕達夫婦が一週間も討論し続けたのはなんのためだったのだ。崩壊した家族生活を修復するためではなかったのか。激しい夫婦討論の結論としてマリーは二度とパソコンに手を触れないという結論に達した。僕は一週間の有給休暇を取って、マリーのパソコン中毒を治癒させるためにマリーとの徒歩旅行に出た。旅行に出たのは今日の朝だよ。昨日でもなければ一昨日でもない。家を出たのは今日の午前五時三分だ。昨日の夕方に子ども達はママの所に預けて、二人だけの家で水入らずの時間を過ごし、話し合い愛し合い心を通じ合わせたのは昨日の夜から今日の朝にかけてだったのだ。二十四時間も経過していない。それなのに、ああ、それなのに。僕は情けないよ。マリーが簡単に僕を裏切るなんて。」

ボブの頬からは涙が伝っていた。マリーはうなだれてボブの話を聞いていた。孝一郎はマリーの手を取り観察していた。

「この手はゴッドハンドだ。もう少しで一万ドルを手に入れていたかも知れない。すごい手だ。」

ボブとマリーの話を聞いていない孝一郎は独り言を言った。孝一郎の独り言をきいてマリーの目がきらりと光り、

「一万ドル。」と呟いた。

「コーさん。一万ドルと言ったわね。どういう意味なの。」

「マリーさんがもう少しで一万ドルを手に入れたかも知れないという話だよ。A欄B欄はクリアしてC欄をクリ

アすれば一万ドルが手に入っていたのだ。実に惜しかった。」

マリーは孝一郎の話でインターネットゲームの一万ドルを取り逃がしたことを思い出した。Ｂ欄をクリアした時はまだ一分十秒残っていた。一分以上の余裕が持てたのは初めての経験だ。孝一郎の言った通り一万ドルをゲットする可能性はかなり高かった。もし、ボブが手を掴まえて十秒余の中断をさせなかったら一万ドルが手に入っていたかも知れない。一秒で三から四つの数字を作るとして十秒なら三十種類以上の四桁数字を打てる。ボブが邪魔しなければ一万ドルゲットが現実となっていたかも知れないのだ。マリーの意識が覚醒した。マリーは一万ドル賞金乱数バトルゲームのことを思い出し、一万ドルの賞金を取り逃したことの無念さが心にふつふつと沸いてきた。賞金獲得を邪魔したボブが恨めしくなってきた。

「マリー。僕の話を聞いているのか。」

「聞いているわ。」

マリーは胡散臭そうに言った。

「それでは聞く。なぜ、リュックサックを放り投げて走り出したのだ。僕は必死にマリーを呼び止めた。走りながら何度もマリーの名を呼んだ。しかし、マリーは僕の声を無視して走り続けた。なぜ僕の声を無視して走り続けたのだ。なぜだ。」

ボブに詰問されながらマリーはボブへの怒りがふつふつと湧いてきた。ボブの声に苛々がつのり、ボブに返事する代わりに、「ああ、くやしい。」とうめいた。ボブへの怒りと一万ドルの賞金を逃した無念がマリーの心を苛々させた。マリーはボブにそっぽを向き横を向いたり頷いたりして溜息をついた。

「なぜなのだマリー。」

「知らないわ。」

マリーはぶっきらぼうに言った。マリーの言い訳を聞き、マリーの言い訳を許さずに反論する気でいたボブは肩透かしを食らった。

「それはないよ。マリーはここまで一目散に走ってきてパソコンでインターネットゲームをやったじゃないか。つまり、インターネットゲームをやるためにマリーは大事なリュックサックを放り投げ、夫の僕にそっぽを向いて五キロの道を走り続けたのだ。そうではないのかマリー。」

「ボブがそのように思うのならそのように思えばいいわ。私は構わないわ。」
ボブはインターネットゲームをやるために徒歩旅行を中断したマリーを責めた。マリーのパソコン中毒が子供達にも伝染して家庭が崩壊していることを主張してマリーを非難した。ボブはマリーが昨日のようにボブの主張に負けて、家庭崩壊したのはマリーの責任であることをマリーは認め、パソコン中毒を治すために再びボブと徒歩旅行をすると確信していた。しかし、マリーの心にはパソコン病に犯されたマリーが覚醒していた。

「うんざりだわ。」

マリーは横を向いて呟いた。ふてくされているマリーにボブは憤った。

「なにがうんざりだ。マリー。真面目に考えろ。君はフランクリンとミシェルをパソコン中毒にしたのだ。引き篭もりの子供にしたのだ。マリーのパソコン病を治すための徒歩旅行をなぜ投げ出したのだ。」
「ボブの話はうんざりだわ。」
「なにがうんざりだ。冷静になって考えるんだ。マリー。そっぽを向かないで。僕の目を見るのだ。」

マリーはボブを見た。目が鋭い。ボブはマリーの目の鋭さにたじろいだが、気を取り直してマリーを責めた。するとマリーはボブの話を無視するように横を向いた。ボブの怒りが爆発した。

「マリー。なぜそっぽを向くのだ。きみは母親として幸せな家庭を作る義務があるのだ。きみは母親としての義務を放棄して家庭を崩壊させた。マリーには母性本能がないのか。母親としての責任感はないのか。家庭を崩壊させたマリーを僕は許さない。」

マリーは立ち上がって家の方に歩き始めた。

「マリー。どこに行くのだ。」
「家に帰るの。」

ボブは呆れた。

「徒歩旅行はどうするのだ。放棄するのか。君は崩壊した家庭を元のアットホームな家庭に戻す積もりはないのか。」

マリーはボブを睨んだ。そしてうす笑いをした。

「家庭崩壊していると思っているのはボブだけだわ。家庭崩壊なんかしていないわ。」

マリーの反論はボブにはマリーがボブの正しい理論から逃げているようにしか思われなかった。


「父親が帰って来て大声で『ただいまあ。』と言っても誰も玄関に迎えに出てこない。家族のみんなが自分の部屋に引き篭もって父親の帰宅を無視だ。家族の対話がない。夕食はない。それぞれが食べたい時に食べるだけ。親子の対話はない。家族の意思疎通はなくなってそれぞれが自分勝手に行動している。それが家庭崩壊ではないというのか。それが家庭崩壊ではないということを説明して欲しいねマリー。説明ができるのなら。」

「ボブは勘違いしているわ。」


マリーは毅然としていた。


「なにを勘違いしているのだ。」

「ボブは家族のために働いている。家族の生活はボブの給料で成り立っている。だから家族の中心はボブだと思っているわ。そうでしょうボブ。」

「僕は僕が家族の中心とはちっとも思っていない。マリーは僕が亭主関白主義と思っているが、僕は亭主関白主義ではない。家族は平等だ。家族の生活費を稼いでいるのは僕であるが、それは僕の役目であって、マリーはマリーの役目がある。僕が生活費を稼いでいるからといって僕中心に家族はあるべきだなんて僕は考えていない。」

「そうかしら。」

「そうだ。」

「でも、ボブは仕事から帰ったら家族が笑顔で迎えてくれるのが当然と思っている。夕食は家族みんなが集まって食事をしなければならないと考えている。夕食を食べながらフランクリンやミシェルが学校での出来事を父親のボブに報告するのは当然と思っている。グラマンの一日の様子を私がボブに報告するのを当然と思っている。そうでしょうボブ。」

マリーはボブの本心を言い当てたとでもいうようにうす笑いをした。


「違うのボブ。」

「それが家族のあるべき姿だ。違うのかマリー。」

マリーは間を置いてから言った。


「その考えはねボブ。ボブが家族の中心であると考えている証拠なのよ。」

「僕は仕事をやり、フランクリンとミシェルは学校に行っている。家族全員が集まるのは夜だ。家族の意思疎通ができる時間は夕食の時じゃないか。お互いの心を開いて話し合い理解し合う。そして、子供が悩んでいる時は人生の先輩としてアドバイスをしてあげる。それが家族の愛を深めていくことになる。それのどこがいけないんだ。僕たちは家族だ。お互いが理解しあい支えあい励ましあっていかなくてはならないのは当然だ。そうではないのかマリー。」

「そうかしら。」

「違うのか。」

「もっともらしい理屈だけど、それは亭主中心主義の発想だわ。」

「そうじゃい。それは家族のあるべき姿だ。そうじゃないのか、マリー。」


マリーはボブから顔を背けた。


「ボブには理解できないことかも知れないわね。」

「僕にはなにが理解できないのだ。僕はマリーを愛し子供たちを愛し、マリーや子供たちを理解する努力をずっとやってきた。そんな僕にマリーは平気でそんなことを言う。」

「ボブが理解しようとしているのはボブにとって都合のいい面だけの私たちよ。ボブにとって都合の悪い面をボブは理解しようとしなかった。」

「そうなのか。へえ。僕が理解できない面というのはどういうことか説明してもらおう。」


マリーはため息をついた。


「私はボブの妻である前にマリーという人間なのよ。私の人間としての自由を夫という権力で束縛する権利はボブにはないわ。フランクリンもミシェルも人間よ。ボブの子供であるという義務より一個の人間としての自由が優先するわ。」

「自由だから夕食も自由に取るということか。」

「そうよ。」

「それでは家族としての愛はどうなるのだ。」

「押し付けの家族愛なんか無い方がいい。」


ボブは家族崩壊を当然と考えているマリーに絶句した。

「僕は家族の生活を支えているのになにも報われない。食事さえ自分で作らなければならない。まるで無人島生活をしているようだ。家には妻が居て子供が居るというのに独身生活と同じだ。」

ボブの嘆きにマリーはうんざりした。

「仕方がないわ。夕食は作ってあげる。ボブが夕食をなににするか決めて。そして、前の日に材料とレシピを準備して。」

「え、僕がレシピを作って料理の材料まで準備するというのか。」

「そうよ。ボブが材料とレシピを準備するならボブの望む料理を作ってあげるわ。」

「仕事をしている僕が夕食の料理をなににするかを考えて、レシピも材料も僕が準備するというのか。」

「そうよ。ボブ。」

「仕事をしている僕にそんな面倒なことができるはずないじゃないか。」

「できないはずはないわ。やろうと思えばできるものよ。本当はやる気がないからできないとボブは言うのよ。努力するかしないかの問題よ。」

「その言葉はマリーにそのままお返しする。マリーもやる気がないから夕食を作らないのだ。作る気になれば作れるということだろう。」

「そうよ。作ろうと思えば毎日作れるわ。でも、夕食を作るのにもううんざりしているの。うんざりのうんざりなの。毎日ボブが食べたい食事を考え、味付けや料理の種類に悩んでボブが満足するための料理を作るのにはうんざりしているの。もう、ボブのために私だけで考えて夕食を作る気にはなれない。私はボブじゃないもの。ボブがなにを食べたいか考えるのに苦労するのは当然だわ。もうボブの夕食のために考え悩む時間は持ちたくないの。そんな無意味な時間はパソコンをする時間に使った方がいいわ。夕食にどんな料理を作るかを考えることは私の自由な時間が奪われるということなの。だから、ボブが料理の材料を準備してくれるなら作ってあげる。私には家族の一員としての義務があるからボブのために私の自由を犠牲にしなければならない時間も作らなければならないわ。」

「食事を作ることが自由を犠牲にするというのか。僕にはそんな考えは理解できない。マリー。君はフランクリン、ミシェル、グラマンの母親であり、僕の妻なのだよ。僕らは家族なのだよ。家族のために働くことを自分の自由を犠牲にするという発想はおかしい。マリーはいつからエゴイストになったのだ。」

「私がエゴイストですって。冗談ではないわ。なぜ、ボブのために私の自由を犠牲にしなくてはならないの。」

「ゲームをするのが自由という名の権利だというのか。」

「そうよ。」

「遊びを自由の権利呼ばわりするのはおかしい。それは詭弁だよ。」「賞金乱数ゲームは知的ゲームよ。勝利すれば一万ドルが手に入るのよ。ちゃんとした労働だわ。ボブが考えているゲームとは質が違うわ。」

ゲームを労働だと言ったのでボブはマリーをせせら笑った。

「よく聞いてボブ。賞金乱数バトルゲームは本当は単なる乱数ではないの。A欄はオーストラリアの歴代の歴史的人物や大統領や議員の誕生年や誕生日を当てる。B欄は世界の歴史的人物の誕生年や誕生日を当てる。アメリカ、ヨーロッパ、アジアなど世界中の歴史的人物の誕生日が対象なのよ。誕生日を記憶していればいるほどゲームを有利にすることができるのよ。何千人もの誕生日を覚えるのは大変なことなのよ。私は五千人以上の歴史的人物の誕生日を覚えているわ。ゲームだからといって馬鹿にしないで。

A欄とB欄をクリアすると最後はC欄。C欄は完全な乱数ゲーム。A欄とB欄を早い時間でクリヤーすればするほど有利になるわ。今日はA欄とB欄を早い時間でクリヤーしたからC欄の乱数字を当てる可能性が高かった。もう少しで一万ドルの賞金が手に入るところだった。ああ、くやしい。ボブ。あなたは私の邪魔をしたのよ。ボブは私が一万ドルを獲得するチャンスを邪魔をしたのよ。賞金はボブの給料の何倍ものお金だったのよ。賞金乱数バトルゲームはボブの仕事よりも何倍もの知識と技術の高いゲームなのよ。」

「ほう。私のクレーン技術より上だと言うのか。」

「そうよ。」

「私よりマリーの方が頭脳も技術も上だと言うのか。」

「当然よ。比べ物にならないくらいよ。」

「あははは。お笑いだ。」

ボブはマリーの主張がばかばかしかった。

つづく

栄町の「おでん東大」の殺人報道に驚いた

「人気おでん店の店主死亡は殺人・・・沖縄県警が特定、捜査進める　現場に不審な点　那覇・栄町の「おでん東大」のニュースには驚いた。まさか50年以上前に通ったことがあるおでん東大がこんなニュースになるなんて信じられない。

学生の時におでん東大に何回も行った。50年以上前のことである。あの時の東大は80代の女性二人でやっていた。70代だったかもしれない。20前後の私にとっては年寄りの女性だった。他のおでん屋でも東大のような年寄りはいなかった。

老女がつくる東大のおでんはボリュームがあり、味が具の奥まで浸透していて柔らかくおいしかった。そして、安かった。だから。貧乏な学生でも腹いっぱいおでんが食べられた。東大のおでんに比べると他の店のおでんはインスタントに感じるほど東大のおでんは深みがあった。

私はおでんがとても好きというタイプではないので東大には行かなくなった。普通おでん屋は一代限りである。年寄りが経営していたので東大は閉店していると思っていた。ところが東大は観光客にも人気があるおでん屋として新聞に掲載された。とっくに閉店しと思っていた東大が人気店であることに驚いた。

誰がやっているのだろうかと言ったことがあった。20年くらい前のことである。東大は別の場所に移っていた。前の東大は栄町を北側から入ると中央の十字路から左に曲がり、それから右の路地に入った所にあった。淋しい路地に東大はあった。だが、東大があった場所に東大はなかった。栄町にあるのは確実である。周囲を探すと東大はすぐに見つかった。中年の女性がおでんをつくっていた。

久しぶりにおでんを食べた。学生の頃に食べたおでんのほうが味が深く思えた。今でも学生の時の東大のおでんの味わいが舌に残っている。糸満においしいおでん屋があったが、東大のおでんには負けていた。東大のおでんよりおいしいおでんに出会ったことはない。なぜあれほどまでに深みのあるおでんを栄町の裏通りの小さなおでん屋の老女がつくれたのだろう。老女はなにものなのか。それに東大と言えば東京大学のことである。そんな名前のおでん屋にしたのも謎である。

去年の9月に閉店するという報道があった。店主が病気かなにかの原因で閉店するのだろうと思っていた。ところが今日の報道では店主が殺害されたからだという。殺害された店主は50代で三代目だという。

私が出会ったのは初代と二代目だったのだろう。

学生の時、栄町の暗い路地で出会ったおでん屋が50年以上過ぎた今、殺人事件でニュースになるとは。

アートハイク

酔いどれて
よたよた笑う
ななじゅうし

ああ今日も
独りの胸にしぐれ降る

這い上がれ
這い上がれ
夢
這い上がれ

ガラガラの
遥かな音が
残る道

暴風に
疲れ花落ち
浮世かな

暴風の
朝のライトの
車たち

荒れ狂い
どこへ行く
俺
どこへ行く

ゲート通り
終われない夜
日曜日
CAVE

なあ　月よ
と　俺はじっと見つめてる

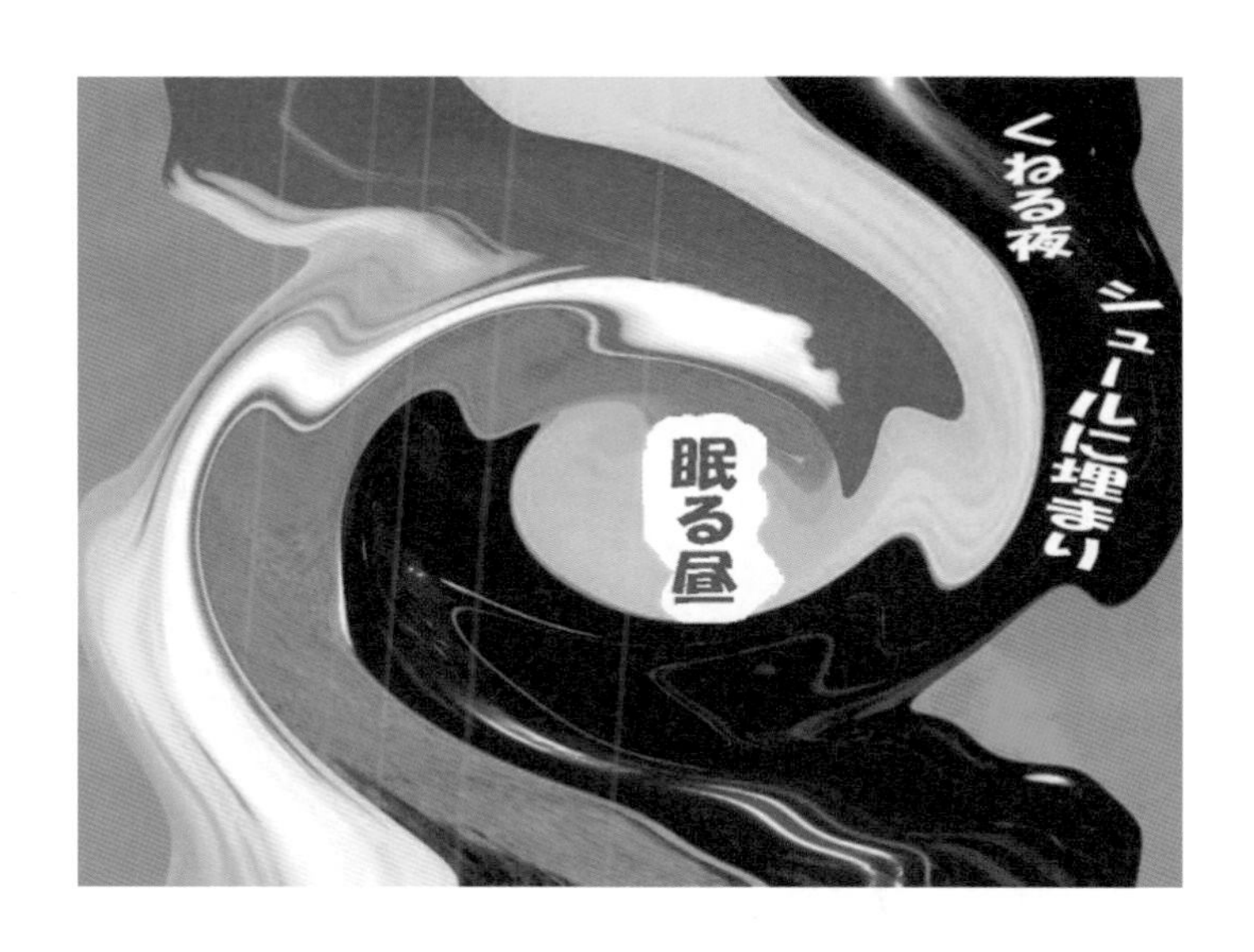
くねる夜　シュールに埋まり
眠る昼

雲の下
なぜにせわしく
走るのか

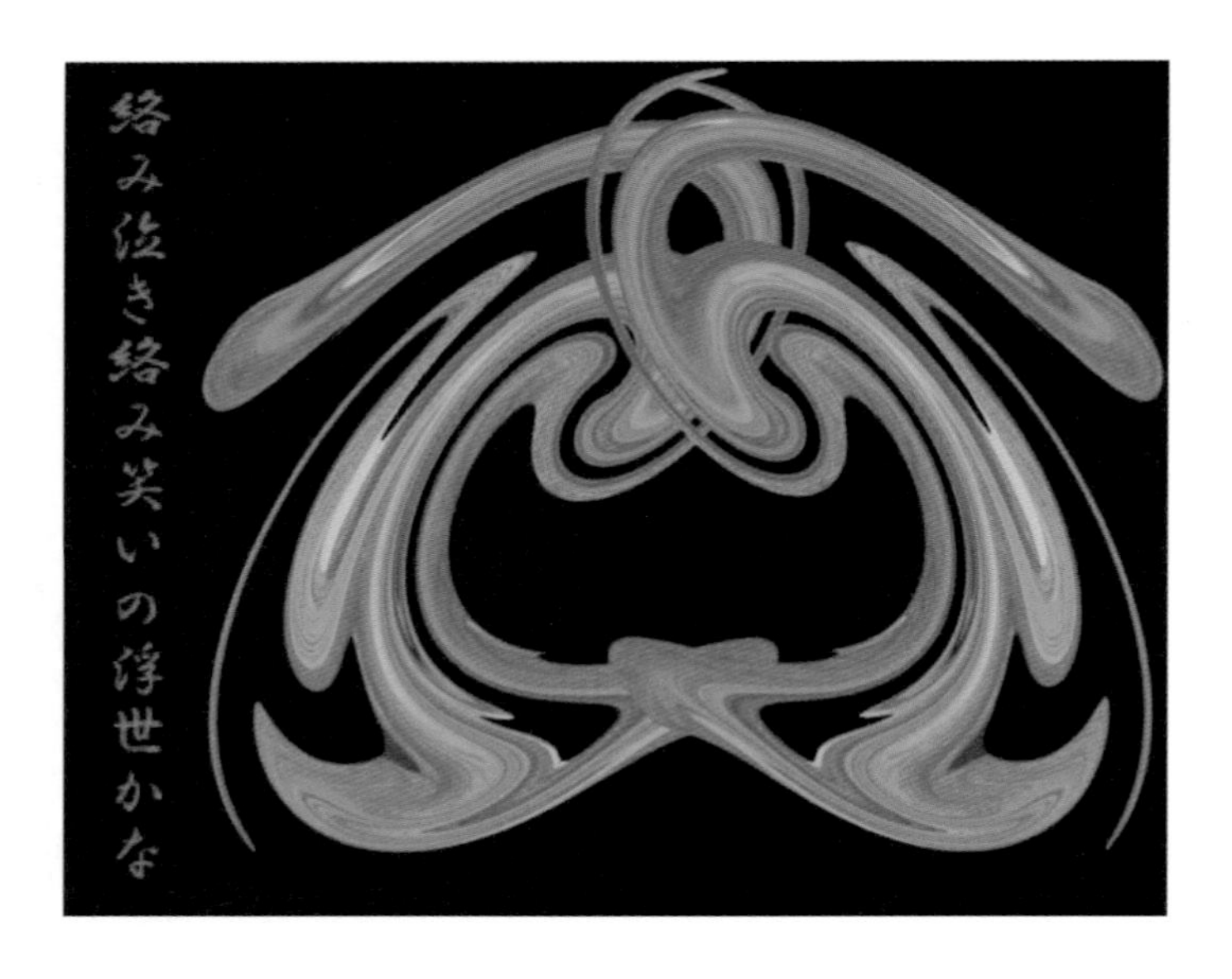
絡み泣き絡み笑いの浮世かな

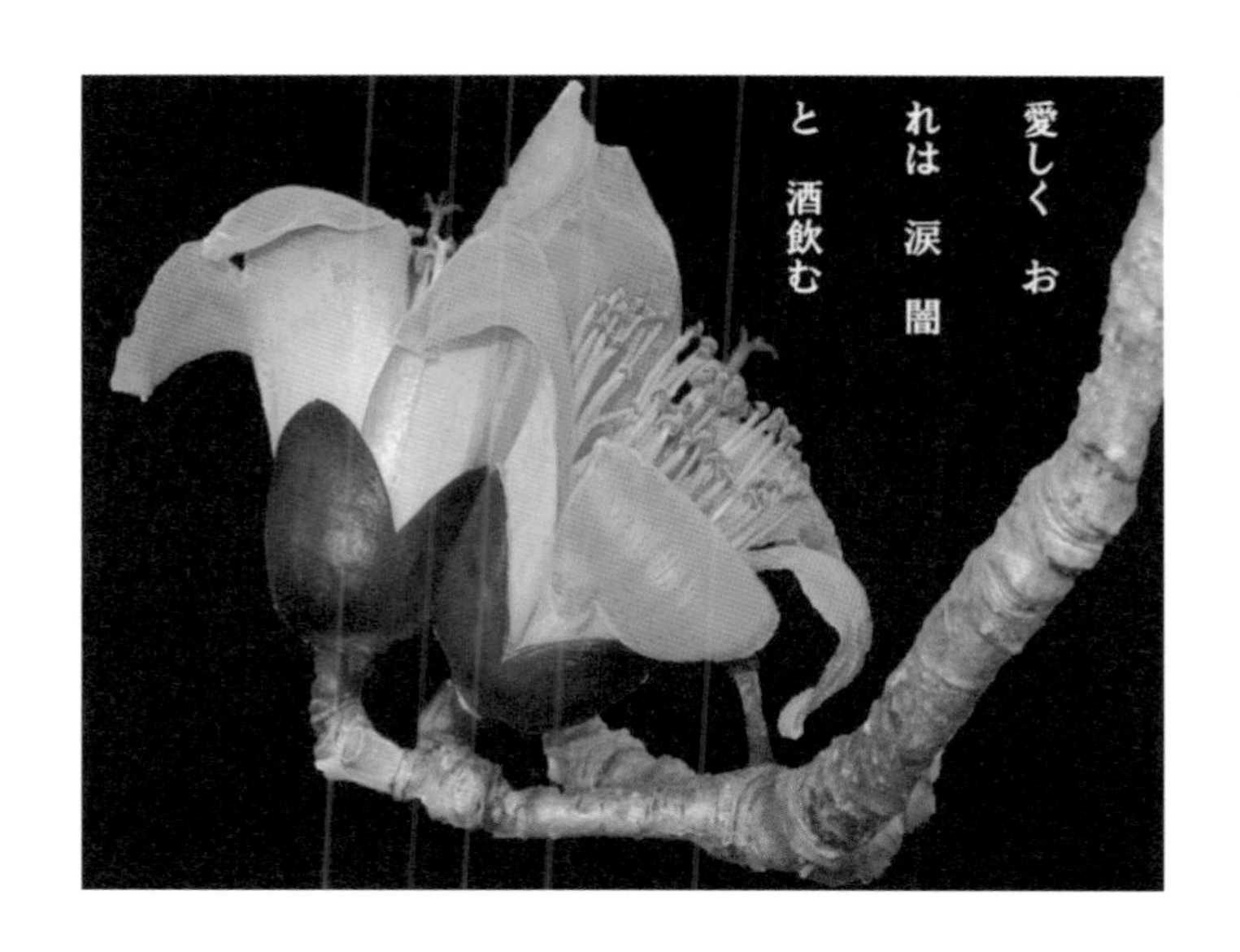
愛しく　お
れは　涙　闇
と　酒飲む

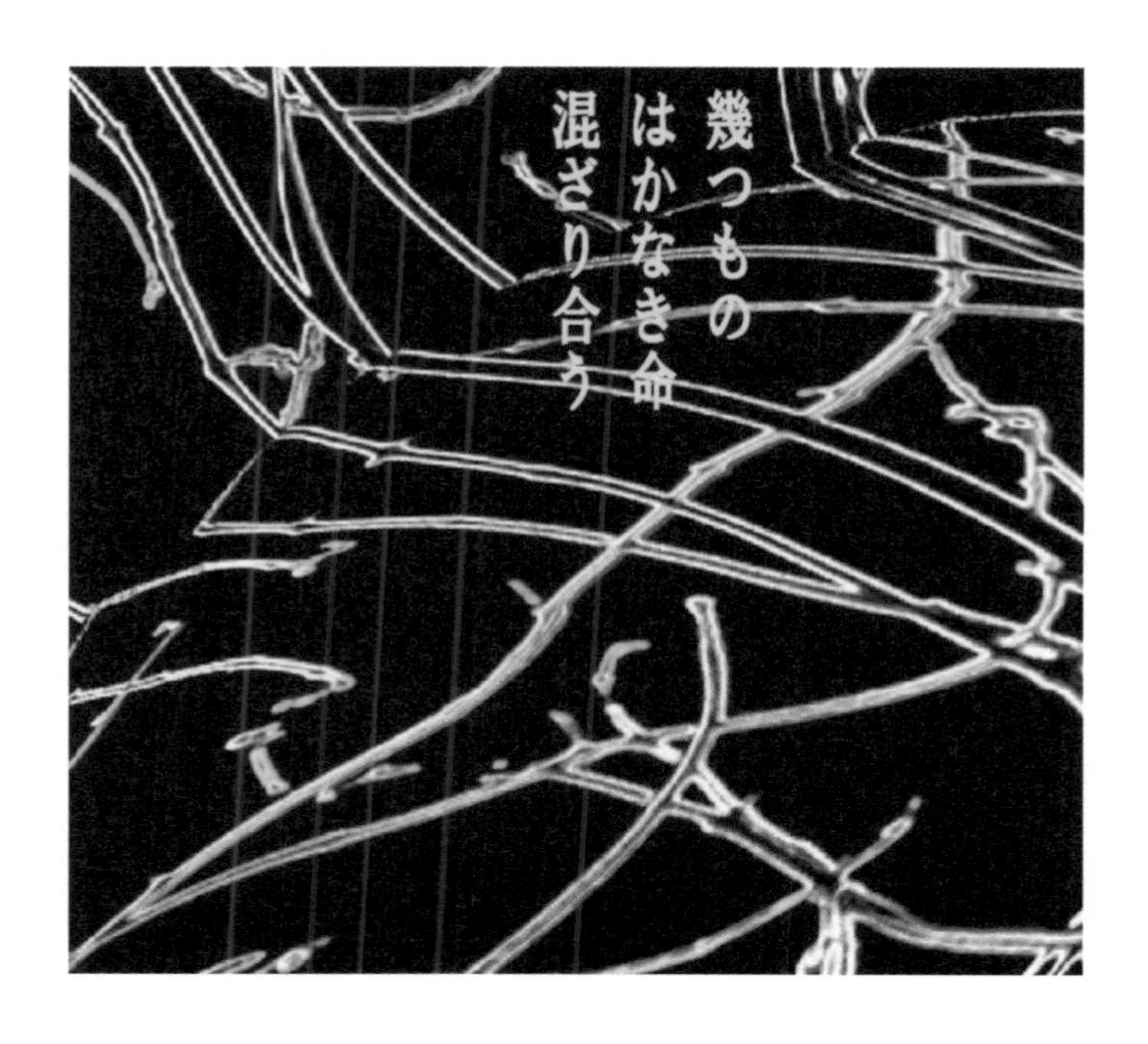
幾つもの
はかなき命
混ざり合う

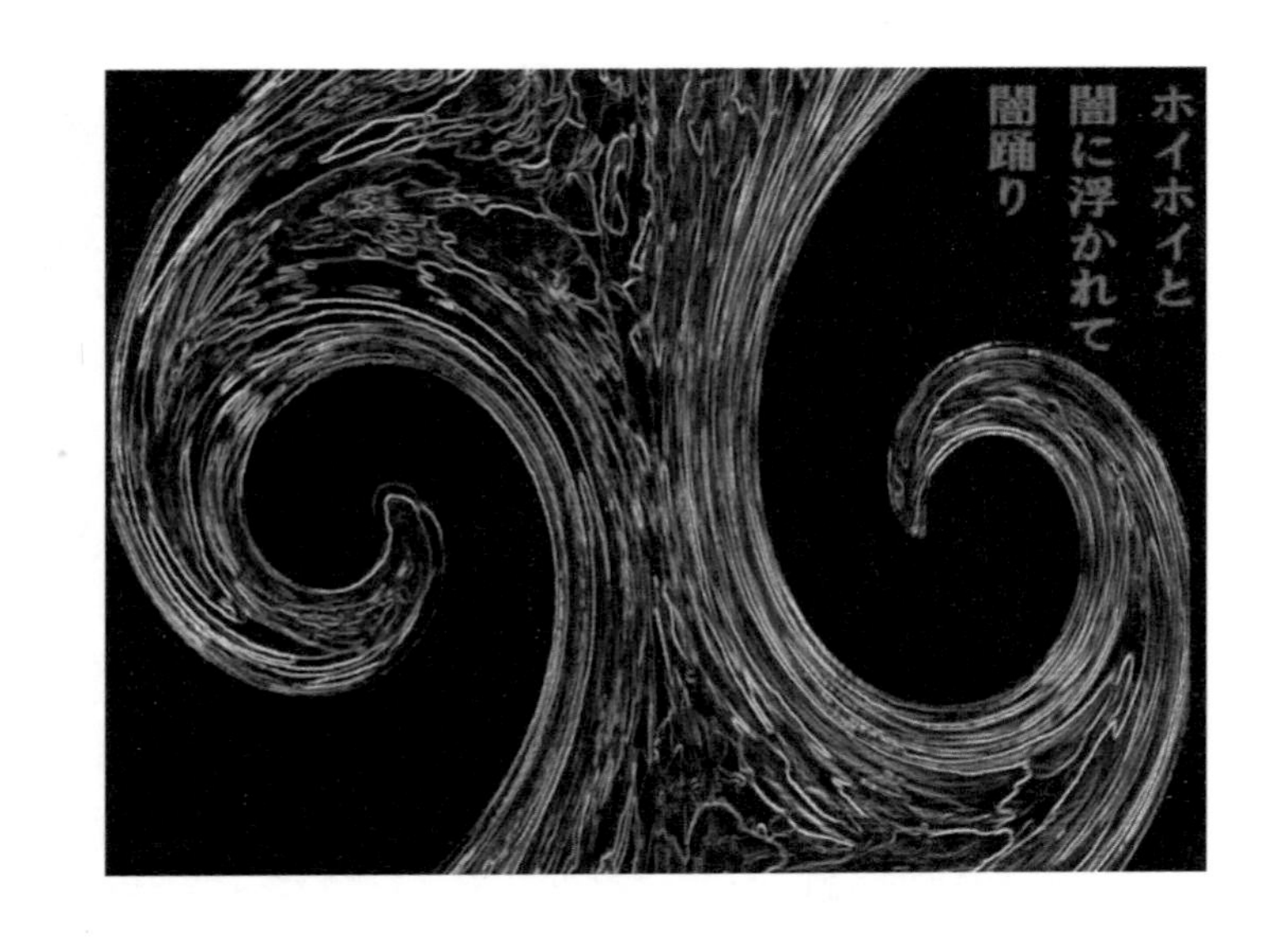
ホイホイと
闇に浮かれて
闇踊り

B52撤去
叫び続けた
若き日

２０２３年１月発行
沖縄 日本 アジア 世界 内なる民主主義３１
定価１０００円(消費税抜き)
編集・発行者 又吉康隆
発行所 ヒジャイ出版
〒 904-0313
沖縄県中頭郡読谷村字大湾 772-3 C-190
電話 098-956-1320
印刷所 印刷通販プリントパック
ISBN978 - 4 - 905100 - 45 - 4
C0036

著作 又吉康隆
１９４８年４月２日生まれ。沖縄県読谷村出身。

小説

マリーの館 １３８０円(税抜き)
一九七一Ｍの死１１００円(税抜き)
ジュゴンを食べた話 １５００円(税抜き)
バーデスの五日間
上巻１３００円(税抜)下巻１２００円(税抜
おっかあを殺したのは俺じゃねえ１３５０円(税抜
台風十八号とミサイル １４５０円(税抜き)

評論

沖縄に内なる民主主義はあるか １５００円(税抜
少女慰安婦像は韓国の恥である １３００円(税抜
捻じ曲げられた辺野古の真実 １５３０円(税抜き)
沖縄革新に未来はあるか １３００円(税抜き)
あなたたち沖縄をもてあそぶなよ １３５０円(税抜き)

かみつく1　1200円(税抜き)
かみつく2　1500円(税抜き)
噛みつく3　1500円(税抜き)
沖縄内なる民主主義4　600円(税抜き)
沖縄内なる民主主義5　600円(税抜き)
沖縄内なる民主主義6　600円(税抜き)
沖縄内なる民主主義7　1500円(税抜き)
沖縄内なる民主主義8　1500円(税抜き)
沖縄内なる民主主義9　1400円(税抜き)
沖縄内なる民主主義10　1400円(税抜き)
沖縄内なる民主主義11　500円(税抜き)
沖縄内なる民主主義12　1380円(税抜き)
沖縄内なる民主主義13　1380円(税抜き)
沖縄内なる民主主義14　13800円(税抜き)
沖縄内なる民主主義15　13800円(税抜き)
沖縄内なる民主主義16　1340円(税抜き)
沖縄内なる民主主義17　1080円(税抜き)
沖縄内なる民主主義18　1295円(税抜き)
沖縄内なる民主主義19　1398円(税抜き)
沖縄内なる民主主義20　1398円(税抜き)
沖縄内なる民主主義21　1295円(税抜き)
沖縄内なる民主主義22　1295円(税抜き)
沖縄内なる民主主義23　1295円(税抜き)
沖縄内なる民主主義24　1295円(税抜き)
沖縄内なる民主主義25　1295円(税抜き)
沖縄内なる民主主義26　1295円(税抜き)
沖縄内なる民主主義27　1295円(税抜き)
沖縄内なる民主主義28　1295円(税抜き)
沖縄内なる民主主義29　1295円(税抜き)
沖縄内なる民主主義30　1295円(税抜き)

県内取次店
沖縄教販
TEL　098-868-4170
FAX　098-861-5499
本土取次店
(株)地方小出版流通センター
TEL　03-3260-0355
FAX　03-3235-6182

9784905100454

1920036010004

ISBN978-4-905100-45-4
C0036 ¥1000E

定価：本体 1000 円（税別）

ヒジャイ出版